R/

120F          DER    B7
                     orange

                     1861

# AUDIT
# DE L'AMÉNAGEMENT
# DES TEMPS
# DE TRAVAIL

*Chez le même éditeur*

Jean-Marie PERETTI et Jean-Luc VACHETTE, *Audit social.*

COLLECTION AUDIT
dirigée par Jean-Marie Peretti

**Jean-Marie PERETTI**

Docteur ès-Sciences de Gestion,
E.S.S.E.C., Sciences Po
Directeur adjoint de Sup de Co
Marseille

**Michel JORAS**

Docteur ès-Sciences de Gestion,
E.S.C.P.
Dirigeant d'entreprise,
Conseil en gestion sociale

# AUDIT DE L'AMÉNAGEMENT DES TEMPS DE TRAVAIL

1986

**les éditions d'organisation**

5, rue Rousselet — 75007 PARIS

## AUX ÉDITIONS D'ORGANISATION

Jean-Louis CHAUCHARD
**Restructuration et plan social**

Michel DEGUY
**Définition de fonctions : évaluation et emplois**

Thomas DEVERS et Gilbert TIBERGHIEN
**Guide des recrutements et mutations**

L. MATHIS
**Gestion prévisionnelle et valorisation des ressources humaines**

Christian MICHON et Patrice STERN
**La dynamisation sociale de l'entreprise**

Pierre PORET
**Productivité et aménagement du temps de travail**

Jean-Marie PERETTI et Jean-Luc VACHETTE
**Audit social**

Michel RAIMBAULT et Jean-Michel SAUSSOIS
**Organiser le changement dans les entreprises et les organisations publiques**

## AUX ÉDITIONS HOMMES ET TECHNIQUES

Francis JACQ et Jean-Louis MULLER
**De l'expression des salariés... à la stratégie de l'entreprise**

Jean-Louis MULLER
**Le pouvoir dans les relations quotidiennes**

Daniel PERNIN
**La gestion des cadres : acteurs de leur carrière**

ISBN : 2-7081-0715-1

# TABLE DES MATIÈRES

## TABLEAUX

# PRÉFACE

L'aménagement du temps de travail est devenu une dimension fondamentale de l'organisation de l'entreprise et par conséquent du dialogue social qui doit tendre constamment à l'améliorer et à l'adapter. Certes, la redéfinition des règles du jeu qui doivent permettre de tels aménagements fait-elle l'objet de controverses acharnées entre les confédérations patronales et syndicalistes, Que les débats (« grande négociation sur la flexibilité » de 1984, loi Delebarre du 28.2.86) soient plus ou moins féconds est ici secondaire ; le très utile ouvrage de MM. Peretti et Joras rejoint sur ce point notre propre réflexion : au-delà de la complexité existante, des dispositions légales, réglementaires et conventionnelles, **il existe dans de nombreuses entreprises d'immenses possibilités.**

« *L'aménagement et la réduction du temps de travail sont inséparables* », telle est la phrase-clé pour laquelle MM. Joras et Peretti choisissent de finir la 1re section de leur si utile ouvrage, en citant justement les travaux du Commissariat Général au Plan.

Pour avancer dans cette voie, beaucoup s'enferment dans des discussions générales qui se veulent philosophiques ou juridiques. C'est nier l'essentiel qui explique l'échec des politiques globales face à la crise : il existe une extrême diversité de situations d'entreprises qui interdit toute généralisation hâtive, qu'il s'agisse de diagnostic ou de thérapeutique. C'est dire qu'on ne peut améliorer la situation des entreprises que si on apprend à connaître, de l'intérieur, chaque entreprise, de même qu'un médecin ne soigne pas la maladie en général mais, après les avoir auscultés, des malades bien concrets et tous différents.

Dès lors, il est indispensable de recourir à « l'homme de l'art » : il s'appelle ici « auditeur en A.T.T. » et MM. Peretti et Joras lui apportent leurs remarquables connaissances **concrètes** du sujet. Leur ouvrage documenté et circonstancié rencontre un besoin évident dans notre pays.

Un des axes stratégiques que j'ai eu l'honneur de proposer au Gouvernement « *pour une nouvelle organisation de la production* », au mois de septembre 1985, était « la nécessité de renforcer les expertises » (ou audit) en matière d'aménagement du travail ; cela débouchait d'ailleurs sur 2 des 14 recommandations que l'opinion et les pouvoirs publics semblent largement prendre en considération.

C'est dire que j'ai acquis tout au long de cette mission, la conviction intime qu'un des obstacles principaux à la mise en œuvre de nouvelles organisations, plus efficaces au double point de vue économique et social, était la sous-estimation des possibilités d'aménagement qui renvoie à un manque de savoir-faire. Sans doute, cela est-il moins vrai de la grande entreprise que de la petite ; elle comporte en son sein des services de relations sociales spécialisées et des organisations syndicales relativement bien implantées ; les chances de remises en cause utiles sont donc plus grandes, du moins en principe... Mais toutes se trouvent, la crise et la concurrence « aidant », devant des problèmes nouveaux, aux solutions beaucoup plus variées qu'on ne le croit généralement, mais très inégalement exploitées.

La profession d'auditeur en aménagement du temps de travail est certainement une de celle appelée au développement le plus rapide dans les années à venir ; ceux qui veulent s'y former ont évidemment besoin d'ouvrages de référence. MM. Peretti et Joras le leur en fournissent un, particulièrement bien rendu.

Dominique TADDEI
Professeur à l'Université d'Aix II
Consultant auprès de la Commission
des Communautés européennes
Professeur d'économie,
chargé de recherches
au Centre Travail et Société IRIS,
Paris IX Dauphine

# INTRODUCTION

Les mutations technologiques, économiques et sociales qui se mettent en place obligeront les nouveaux gestionnaires à privilégier la gestion du temps après celle des biens et des flux financiers.

Les salariés expriment, de façon croissante, leur désir de pouvoir gérer leur propre temps de travail, élément primordial de la qualité de leur vie.

Les entrepreneurs contraints d'augmenter la durée d'utilisation des équipements et la flexibilité de la production des biens et des services, sont conscients de la nécessité de nouvelles approches de l'organisation du temps pour asseoir la compétitivité de leur entreprise.

L'aménagement du temps de travail (A.T.T.) intervient tout au long de la durée de la vie des travailleurs (début, interruptions et fin de la vie active) et entraîne l'intervention constante des pouvoirs publics et des partenaires sociaux.

Dans le cadre de l'annualisation de la durée du temps de travail (D.T.T.) qui se dessine, la charge de la régulation, au niveau de la semaine et de la journée, se déplace à l'échelon des unités opérationnelles.

La gestion des temps sera le domaine privilégié de l'innovation sociale. Aussi, est-il nécessaire de posséder les outils de contrôle adaptés. C'est à cette obligation que répond l'audit social et, plus particulièrement, l'audit de l'aménagement du temps de travail (A.A.T.T.).

La qualité des politiques d'A.T.T. sera un facteur clé du succès de l'entreprise.

En reprenant les méthodes et outils de l'audit social et, après avoir fixé les enjeux de l'A.T.T. (chapitre I), cet ouvrage examine les trois principales missions de l'A.A.T.T. : vérifier la conformité des pratiques (chapitre II), leur efficacité (chapitre III) et leur adéquation à la stratégie (chapitre IV).

# LES ENJEUX DE L'AMÉNAGEMENT DES TEMPS DE TRAVAIL (A.T.T.)

*« L'aménagement des horaires de travail est un instrument précieux pour les entreprises, auxquelles il apporte les multiples éléments de souplesse permettant d'adapter les rythmes de travail collectif aux contraintes de la demande, aux impératifs de la technologie et à la recherche de la meilleure efficacité possible. »*

Dans cette conclusion du récent rapport Aménagement et Réduction du Temps de Travail (A.R.T.T.), le Commissariat Général au Plan dessine, avec précision et lucidité, les enjeux de l'A.T.T. (1).

On assiste, depuis les années 60, à l'émergence de l'A.T.T., accompagnant ou précédant la R.T.T. (Réduction du Temps de Travail) (§ 1.1.), et à un combat, incessant et erratique, entre les renforcements et les allégements des contraintes réglementaires (§ 1.2.).

L'A.T.T. constitue un des volets principaux des enjeux économiques et techniques issus de la révolution industrielle en cours (§ 1.2.). Face à l'aspiration des salariés à voir réduit et aménagé leur temps de travail (§ 1.4.), un dialogue permanent s'est institué, au sein des entreprises (§ 1.5.), amenées à définir les choix d'une politique sociale appropriée. (§ 1.6.).

---

(1) Commissariat général du plan C.G.P., Rapport Aménagement et Réduction du Temps de Travail (A.R.T.T.), *La Documentation Française*, novembre 1984, page 31.

## 1.1. L'A.T.T. HIER ET AUJOURD'HUI

Si le code du travail ne concerne qu'un travailleur sur deux, soit environ 13 millions de salariés, l'A.T.T. interpelle l'ensemble du monde du travail.

En 1800, l'espérance de vie et la durée du temps de travail laissaient à un ouvrier français moyen 5 ans de temps libre, contre 31 aujourd'hui (2).

Selon les calculs de Jean Fourastié, la durée annuelle moyenne du travail des salariés à temps plein s'est réduite de plus de moitié en 150 ans.

Tableau 1

**La durée annuelle moyenne du travail dit « à temps complet »
de 1830 à 1985**

| Date | Semaines par an | Jours par semaine | Heures par jour | Heures par an |
|------|------|------|------|------|
| 1830 | 52 | 6 | 13 | 3 800 |
| 1900 | 52 | 6 | 10 | 3 000 |
| 1921 | 52 | 6 | 8 | 2 350 |
| 1946 | 50 | 5,1 | 8,8 | 2 100 |
| 1975 | 48 | 5 | 8,4 | 1 850 |
| 1985 | 47 | 5 | 7,8 | 1 770 |

De la semaine des 40 heures en 1936, à la semaine de 39 heures en 1982, la durée du travail donne une fausse apparence de stabilité pendant ce demi-siècle. Annualisée, elle est passée, pour une durée de vie au travail ramenée de 50 à 37,5 ans, de 2 100 heures par an en 1936 à 1 850 en 1975, et 1 770 en 1985.

Le tableau 2 illustre la baisse régulière, depuis la fin des années 1960, de la durée hebdomadaire dans l'industrie manufacturière.

Selon les chiffres du Service des Études et de la Statistique du ministère du Travail, en 1982, chaque salarié (permanent à temps complet) a travaillé (durée offerte) 1 810 heures en moyenne (1 821 heures pour les ouvriers, 1 799 pour les autres salariés) pour environ 228 jours. En moyenne, les salariés ont donc chômé 137 jours : 26 jours au titre des congés payés, 8 jours fériés ou « ponts » non récupérés, plus deux jours de repos hebdomadaire. 1982 est une année particulière, marquée à la fois par la réduction de la durée légale hebdomadaire de 40 à 39 heures et par la géné-

_____

(2) Didier (M.), Économie, Règles du Jeu, Economica, Paris, 1984, page 27.

Tableau 2

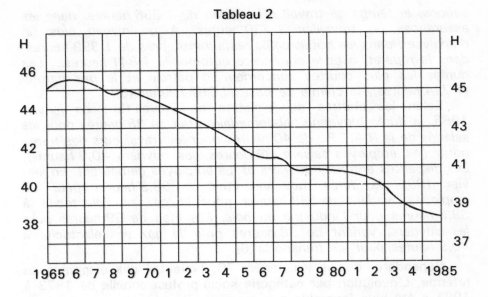

ralisation de la cinquième semaine de congés payés. L'impact de ces deux mesures est estimé à 63 heures de travail en moins ; la durée annuelle offerte passant de 1 873 heures en 1981 à 1 810 heures en 1982.

Depuis 1982, la durée hebdomadaire du travail diminue régulièrement, ainsi pour l'ensemble des secteurs marchands non agricoles la durée est passée, de janvier 1983 à janvier 1985, de 39,27 heures à 39,02 heures, alors qu'elle était de 40,60 heures en janvier 1981.

### 1.1.1. INÉGALITÉS DE LA DURÉE DU TEMPS DE TRAVAIL

Aujourd'hui, des écarts considérables existent entre les travailleurs français : à Paris les agents de police en tenue font moins de 30 heures/semaine (3), les ouvriers boulangers plus de 60 heures, les cadres souvent 48 heures et les P.-D.G. 58 heures (4).

Dans l'entreprise les écarts sont importants :

*La taille de l'entreprise dans laquelle le salarié travaille constitue un premier facteur de la différenciation : en moyenne, les salariés des plus petits établissements ont travaillé 47 heures de plus que ceux des grands établissements en 1982.*

*Cependant, le secteur économique semble être encore plus déterminant. Toujours en 1982, dans les transports, télécommuni-*

---

(3) Temps de Travail, la France des Planqués, in *Le Point*, n° 632, 29 octobre 1984.
(4) Minc (A.), *L'Avenir en Face*, Seuil, 1984.

cations, le temps de travail offert était de 1 856 heures, dans les assurances on travaillait 1 730 heures. A un niveau plus fin d'analyse : dans les hôtels-cafés-restaurants, près de 1 899 heures, dans la réparation et le commerce automobile 1 841 heures... Les durées les plus courtes concernent le pétrole et le gaz naturel (1 714 heures), la chimie de base (1 767 heures) (5).

Selon les chiffres du ministère du Travail (5) : en janvier 1985, la durée moyenne hebdomadaire était de 38 heures pour les salariés de la R.A.T.P., de 40 heures pour les travailleurs des transports (les employés faisant 39 heures, les ouvriers 40,9 heures). Les disparités entre les ouvriers et les employés demeurent. En janvier 1985, la durée moyenne était de 38,9 heures pour les employés, variant de 38 heures pour le gaz et l'électricité à 39,6 heures pour l'industrie du bois. Elle était de 39 heures pour les ouvriers, variant de 38 heures pour le gaz et l'électricité à 40,9 heures pour les transports (6).

Cependant, depuis les années 70, l'éventail des disparités se referme. L'évolution par catégorie socio-professionnelle de 1973 à 1981 a été plus favorable aux ouvriers (7).

Tableau 3

**Taux de croissance annuel moyen de la durée hebdomadaire du travail des salariés par C.S.P. (Catégorie socio-professionnelle)**

|  | Cadres supérieurs | Cadres moyens | Employés | Ouvriers | Ensemble |
|---|---|---|---|---|---|
| 1981/1973 (en %) | − 0,30 | − 0,74 | − 0,84 | − 1,15 | − 0,96 |

Source : *Ministère du Travail.*

Dans « TOUJOURS PLUS », François de Closets dénonce les inégalités qui frappent les Français :

« *La notion même d'horaires n'a absolument pas le même sens pour l'ouvrier d'usine et l'employé de bureau. Il règne, dans la fonction publique, de larges tolérances. La demi-journée ne se demande pas aussi facilement à un contremaître. Autant de commodités qui existent — dans la pratique, pas dans les statistiques — au profit des tâches les moins pénibles. Je rappelle que les congés les plus courts ont accompagné le travail le plus dur, les horaires le plus long et la retraite la plus tardive (8).* »

(5) Ministère du Travail, Résultats de l'enquête trimestrielle in *Liaisons Sociales,* n° 44/85, 24 avril 1985.
(6) *Idem.*
(7) Commissariat général du plan, Comment vivrons-nous demain ? *La Documentation Française,* Paris, 1983, page 265.
(8) De Closets (F.), *Toujours plus,* Grasset, 1982, page 71.

Il faut noter des disparités importantes entre les ouvriers de divers pays industrialisés (9).

Tableau 4

**Durées annuelles effectuées (heures)**

| | Ouvriers à temps complet | | | Ensemble des salariés | | |
|---|---|---|---|---|---|---|
| | 1974 | 1982 | 1982/ 1974 | 1974 | 1982 | 1982/ 1974 |
| République fédérale d'Allemagne | 1 820 | 1 690 | 0,931 | 1 740 | 1 640 | 0,941 |
| France | 1 780 | 1 610 | 0,905 | 1 820 | 1 700 | 0,936 |
| Italie | 1 700 | 1 600 | 0,949 | 1 690 | 1 650 | 0,979 |
| Pays-Bas | 1 720 | 1 650 | 0,959 | 1 790 | 1 670 | 0,931 |
| Belgique | 1 620 | 1 470 | 0,910 | 1 700 | 1 500 | 0,884 |
| Royaume Uni | 1 910 | 1 800 | 0,944 | 1 770 | 1 620 | 0,917 |
| Danemark | 1 830 | 1 760 | 0,961 | * | * | * |
| Suède | 1 740 | 1 590 | 0,913 | 1 630 | 1 530 | 0,938 |
| Canada | 1 920 | 1 880 | 0,979 | 1 830 | 1 720 | 0,938 |
| États Unis | 1 950 | 1 900 | 0,975 | 1 710 | 1 610 | 0,940 |
| Japon | 2 090 | 2 120 | 1,015 | 2 100 | 2 080 | 0,992 |

* Série de durée annuelle non fournie par l'OCDE

Les moyennes fournies peuvent cacher des disparités ; en janvier 1985, la répartition des ouvriers et des employés selon la durée du travail se présente ainsi :

Tableau 5

**Répartition des salariés selon la durée du travail (*)**

*En pourcentage*

| | Durée hebdomadaire du travail (heure) | Moins de 39 heures | 39 heures | Plus de 39 heures à moins de 40 heures | 40 heures | Plus de 40 heures à moins de 42 heures | 42 heures à moins de 44 heures | 44 heures à moins de 47 heures | 47 heures et plus | TOTAL |
|---|---|---|---|---|---|---|---|---|---|---|
| 1. OUVRIERS 1985 janvier . | 39,0 | 30,4 | 47,3 | 3,1 | 8,0 | 5,9 | 4,1 | 1,1 | 0,1 | 100,0 |
| 2. EMPLOYÉS 1985 janvier . | 38,9 | 28,3 | 59,2 | 2,7 | 4,3 | 3,0 | 1,8 | 0,6 | 0,1 | 100,0 |

* Non compris : combustibles minéraux solides, gaz, électricité, S.N.C.F. et R.A.T.P.

Sources : *Liaisons sociales 24 avril 1985.*

(9) C.G.P., *op. cit.*, page 75.

## 1.1.2. DISTORSIONS DES A.T.T.

Si les inégalités en matière de durée sont sensibles chez les salariés français, il est un domaine où les distorsions sont également significatives et qui est constitué par les rythmes et organisations du travail.

Le ministère du travail dans son enquête de mars 1984 énonce les limites et les contraintes du temps de travail des salariés français, en comparant celles de 1978 et de 1984.

De cette étude on peut citer les évolutions les plus significatives de l'émergence de la souplesse des Temps de Travail :

— Des horaires « non fixes » plus fréquents pour les hommes (63 % au lieu de 57 %) comme pour les femmes (69 % au lieu de 61 %), avec augmentation de 10 % pour les employés et cadres moyens, contre 3 % pour les ouvriers.

— Les horaires « différents » selon les jours, fixés par l'entreprise, (toujours un peu plus fréquent pour les femmes que pour les hommes), augmentent de 15 à 17 %.

— Les horaires à la carte ont doublé. Ils ne concernent encore que 6 % des salariés, mais touchent plus les employés (11 %).

— Les horaires dit libres passent de 8 % à 10 % et restent principalement le fait des cadres supérieurs (36 % d'entre eux).

— Les ouvriers constituent la catégorie la plus touchée par le travail en équipes alternantes (13 % des ouvriers qualifiés, 18 % des ouvriers non qualifiés dont 13 % en 2 équipes).

— L'heure du début du travail est plus tardive (avant 8 heures de 39,4 % à 32,7 %).

— Le temps de trajet n'a guère évolué (de 46,5 % à 47,1 % pour 11 à 30 minutes).

— Les contrôles des horaires deviennent de moins en moins contraignants (les salariés sans contrôle passant de 45 % à 52 %, à l'exception des femmes qui, employées, doivent pointer 19 % en 1984 contre 16 % en 1978).

— Le travail de nuit augmente, puisque les salariés ayant travaillé au moins une nuit passent de 17,2 % à 19 % et ceux ayant travaillé plus de 100 nuits deviennent 4,3 % contre 2,3 %.

— Les salariés ayant un nombre de jours différents d'une semaine à l'autre sont 12 %, soit 13 % pour les hommes et 11 % pour les femmes.

— 81 % des salariés ont au moins 48 heures consécutives de repos au cours de la semaine, cependant les femmes sont moins favorisées (77 %) que les hommes (83 %).

— Les femmes employées demeurent les plus touchées par le travail le samedi (travaillé 1 ou plus) malgré une légère diminution pour l'ensemble des salariés (46,7 % contre 45,7 %).

— Par contre, le travail du dimanche (1 ou plus) passe de 18,8 % à 19,9 %.

Jacques Kergoat, analysant les statistiques 1978 et 1984, conclut dans *LE MONDE* du 16 juillet 1985 : *« Les distorsions de la flexibilité : L'évolution des conditions de travail entre 1978 et 1984 a introduit davantage de souplesse, mais elle s'est effectuée largement au détriment des femmes et notamment des ouvrières. »*

## 1.1.3. DIFFICULTÉS DE LA MESURE DU TEMPS

Des taux d'absentéisme pouvant atteindre jusqu'à 20 % du temps, des modulations d'horaires, des reports possibles (dans le cadre d'horaires individualisés), l'émergence du travail à temps partiel, le temps choisi, les congés spécifiques (sabbatique, formation, reconversion...) perturbent la normalité du temps de travail.

D'une façon générale, les statistiques sur la durée du travail, tant en France qu'à l'étranger, sont approximatives et peu comparables d'une période à l'autre. Le respect, souvent relatif, des réglementations (10), l'absence fréquente d'un service de saisie des informations sur les durées du travail, les absences non enregistrées, les pauses non prises en compte, rendent aléatoires les données disponibles sur les durées effectives du travail. La notion de durée hebdomadaire perd de sa signification.

Depuis les premières réglementations (1841 sur le travail des enfants), la durée du travail des salariés s'exprime en nombre d'heures hebdomadaires (de la semaine de 40 heures en 1936, à celle de 39 heures en 1982), selon un cadre journalier d'horaires répétitifs.

Or, depuis la crise de 1974, dans les études de l'O.C.D.E., de la C.E.E., une nouvelle notion apparaît : la durée annuelle effectivement travaillée (D.A.E.). Dans les négociations sur le temps de travail, cette approche a été privilégiée par les syndicats patronaux.

## 1.1.4. MULTIPLICITÉ DE LA NOTION DE D.T.T.

La durée du temps de travail recouvre des notions diverses :
— durée de temps contractuelle ;
— durée affichée ;
— durée payée ;
— durée effectivement travaillée ;
— durée proposée au travailleur ;
— durée de production des machines ;
— durée d'ouverture des services, officines, bureaux publics ;

---

(10) En 1982, 75 377 infractions relatives à la réglementation du travail (durée, repos hebdomadaire, jours fériés, travail de nuit) ont été constatées par l'Inspection du Travail.

- durée des temps contraints (travail + déplacement) ;
- durée des temps induits (travail + formation + lecture...).

Nous assistons actuellement :
- à des formes nouvelles d'organisation du travail nées des mutations technologiques (robotisation, mécanisation, fabrication de process, bureautique, etc.) ;
- au raccourcissement de la durée de vie au travail par la prolongation de la scolarité et des départs à la retraite anticipée ;
- à l'interruption de la vie active par des congés spécifiques (congé parental, sabbatique...), par des périodes de chômage ;
- à l'interruption du travail pour certains personnels (maladie, formation, délégation, expression directe...) ;
- à des formes diverses de l'accomplissement des temps de travail par l'aménagement sans réduction de durée du travail (horaires souples, travail modulaire, semaine comprimée, travail de fin de semaine), par l'aménagement du travail posté (2 ou 3 équipes), par la convenance de temps spéciaux (temps partiel, temps partagé, temps plein réduit hebdomadaire, annuel), par le travail hors de l'entreprise (travail à domicile, télétravail), par l'interruption non rémunérée du travail (congé sabbatique, parental d'éducation, création d'entreprise, fin de carrière, capitalisation des congés...).

### 1.1.5. HISTORIQUE DE L'A.T.T.

L'A.T.T. a commencé à se dessiner, dans le monde occidental, après la Première Guerre mondiale.

La première convention sociale adoptée à Washington par l'Organisation Internationale du Travail, le 29 octobre 1919, proposait de limiter à 8 heures par jour et 48 heures par semaine le travail dans les établissements industriels.

Depuis la Deuxième Guerre mondiale, au sein de la C.E.E., est constitué un Comité Permanent de l'Emploi, qui est appuyé par des conférences tripartites (États, patronats, syndicats) ; la première s'est tenue en 1970.

En France, un Comité National pour l'Aménagement des Horaires de Travail (C.N.A.), constitué en 1961, préconisait certaines réformes : journée continue, deux jours de repos en fin de semaine, décalage des horaires pour grosses entreprises des mêmes villes. Puis, fut créé en 1969, le Comité pour l'Étude et l'Aménagement des Horaires et des temps de Loisirs (C.A.T.R.A.L.).

Créée en 1982, une Mission de l'Aménagement des temps, placée auprès du ministre chargé du Tourisme, est chargée d'étudier, de proposer et de promouvoir toutes actions tendant à un meilleur aménagement du temps dans la vie sociale.

Elle anime notamment les interventions visant à obtenir un plus large étalement des vacances sur l'année.

Elle a publié en 1984 un ouvrage « GÉRER L'ENTREPRISE, LES VACANCES » (La Documentation Française) qui réunit l'ensemble des données relatives à l'organisation des vacances dans l'entreprise et ses conséquences.

De nombreux rapports jalonnent l'histoire de l'A.T.T. : rapport Labrousse en 1976, rapport Giraudet en 1980 (11), rapport Taddei en 1985. Des aménagements nombreux ont été mis en œuvre dans les années soixante-dix par les entreprises.

Lors des assises nationales des entreprises en 1977 un grand nombre de réalisations d'entreprises étaient présentées (12) : horaires variables, travail à temps partiel, semaine souple, étalement des congés, aménagement de fin de carrière, journée continue, pauses, congés spéciaux, plans d'épargne-congés... (13).

La modification du cadre réglementaire, en 1981, 1982 et 1986, contribue au développement de pratiques nouvelles.

### 1.1.6. DÉVELOPPEMENT DU COUPLE R.T.T. & A.T.T.

*« L'aménagement et la réduction du temps de travail sont inséparables. »*

C'est la conclusion du rapport A.T.T. qui place l'aménagement et la réduction du temps de travail au cœur d'une stratégie de modernisation économique et de progrès social.

*« La R.T.T. ne pouvait se produire sans une floraison de nouvelles formes du temps de travail, mieux adaptées aux aspirations des nouvelles générations de salariés, poursuivant aussi et dans certains cas avant tout des objectifs d'efficacité économique. En sens inverse, les nouvelles formes d'aménagement du temps de travail, ne pouvant s'épanouir sans réduction du temps de travail (14).*

---

(11) Giraudet (P.), Rapport sur la durée du travail, *La Documentation Française,* avril 1980.

(12) C.N.P.F., Portes ouvertes sur l'entreprise, l'amélioration des conditions de vie dans l'entreprise. *Panorama des entreprises françaises,* E.T.P., Paris 1977, 2 volumes.

(13) Peretti (J.-M.), Une nouvelle gestion de l'emploi et des temps de travail, *La Revue Française de Gestion,* n° 40, mai 1983.

(14) C.G.P., *op. cit.,* page 30.

## 1.2. LES CONTRAINTES DES DISPOSITIONS LÉGALES, RÉGLEMENTAIRES ET CONVENTIONNELLES

L'entrepreneur, maître du temps de ses salariés, a toujours été surveillé, tant par le pouvoir religieux (repos dominical, fêtes patronales, carême) que par le pouvoir administratif et politique. Les travailleurs, voulant préserver leur santé et leur liberté, ont toujours lutté pour limiter et diminuer leur temps de travail. Un corps de règles contraignant a enserré les chefs d'entreprises dans la gestion du temps de travail.

### 1.2.1. HISTORIQUE

Pour la première fois en 1841 (depuis les *Lois Le Chapelier* de 1791) l'État intervient (loi du 22 mars 1841) pour réglementer la durée maximum journalière à 8 heures pour les enfants de 8 à 12 ans, à 12 heures pour leurs aînés de 12 à 16 ans.

La révolution de 1848 entraînera la fixation à 10 heures par jour de la durée maximum de travail pour les adultes.

Les événements de 1936 seront à l'origine de la semaine de 40 heures (loi du 21 juin 1936) et des congés payés (loi du 20 juin 1936).

Paradigme du temps de travail, la semaine de 40 heures sera remise en question par les textes de 1946 sur les heures supplémentaires et l'accord interprofessionnel de juillet 1981 fixant la semaine à 39 heures et les congés à 5 semaines. La réglementation a pour base, depuis 1936, la fixation d'une durée hebdomadaire et l'octroi de congés annuels. L'édifice législatif est constitué par l'ordonnance du 16-01-1982 qui fixe à 39 heures la durée normale de travail par semaine.

A la durée normale s'ajoute le cadre d'une durée maximum dans la journée, dans la semaine et l'année.

### 1.2.2. COMPLEXITÉ DES DISPOSITIONS

Devant la complexité de la fixation des règles, le législateur a prévu une normalité et des dérogations.

L'entrepreneur est ainsi constamment soumis à une disposition légale, une dérogation possible, une convention négociable.

Sont réglementés par le législateur :
— la durée hebdomadaire maximum
— la durée journalière maximum et l'amplitude
— les horaires collectifs et modularisés

— le travail en continu, par roulement, de nuit
— la récupération des heures perdues
— les heures supplémentaires et le repos compensateur
— le repos hebdomadaire dominical
— les jours fériés
— le travail des femmes — des adolescents — des handicapés

Les dispositions conventionnelles sont extrêmement nombreuses dans ces divers domaines. Depuis 1982 ces dispositions peuvent être dérogatoires. La loi du 28.02.1986 fixe un cadre réglementaire à la négociation collective sur la modulation de la durée de travail hebdomadaire.

Un exemple (15) illustre la souplesse conventionnelle : *le 1er mars 1985 a été conclu à la S.A.F.T. un protocole d'accord cadre sur la souplesse industrielle. Le préambule précise l'intention des parties signataires de :*
— *d'une part permettre à la S.A.F.T. de disposer d'une souplesse industrielle tant dans ses moyens de production que dans la mobilité de son personnel suivant un processus concerté avec l'ensemble des parties prenantes. Cette nouvelle impulsion donnée aux efforts de productivité vise non seulement à répondre aux impératifs de rentabilité de la S.A.F.T. mais aussi à concourir à la promotion de l'emploi des jeunes ou à la préservation des emplois existants ;*
— *d'autre part permettre au personnel de trouver des avantages dans les nouvelles formes d'organisation du travail mises en œuvre, en particulier par des adaptations des formes de temps de travail, par des possibilités plus ouvertes de développement de carrière ainsi que par des conditions et garanties de transfert mieux adaptées. »*

L'article 1 définit la performance optimum de l'organisation :
**1.1.** « *Lorsqu'un établissement est confronté à :*
— *des prévisions de production supérieures aux capacités théoriques,*
— *une activité saisonnière,*
— *une période de réduction durable de l'activité, il recherche la mise en œuvre de l'organisation la plus performante adaptée à ses contraintes. Un tel projet implique que le personnel du secteur concerné soit associé à tous les*

(15) Société S.A.F.T., Protocole d'accord du 1er mars 1985, in *Liaisons Sociales,* n° 5647, 23 mai 1985.

*niveaux hiérarchiques aux différentes phases de réflexion et de mise en place.*

*__1.2.__ Une gamme étendue de formules d'organisation peut être envisagée (3 × 8 — 2 × 8 — équipe de week-end — travail en continu — etc.). La meilleure formule suppose un effort important de créativité au niveau de l'unité de travail. »*

L'article 3 indique les principes généraux d'aménagement :
*__3.1.__ Les aménagements d'horaire retenus et en particulier les formules de temps partiel, peuvent revêtir des formes aussi variées que possible. Ils peuvent concerner la totalité du personnel de l'établissement ou une fraction de celui-ci. Ils prendront en compte aussi bien les exigences propres au service, à la production ou à la clientèle que les besoins d'autonomie manifestés par le personnel résultant de contraintes familiales, de conditions de transport ou d'activités extra-professionnelles.*

*__3.2.__ Il sera fait appel prioritairement au volontariat pour tenir les postes ayant fait l'objet d'un aménagement d'horaire. »*

*Ces principes demeurent généraux car :*
*Persuadées par ailleurs que pour être socialement et économiquement bénéficiaires, il est préférable de susciter des initiatives locales plutôt qu'une solution globale au niveau de l'entreprise, les parties signataires apportent dans le présent, accord les principes généraux devant guider les négociations dans chacun des établissements. »*

Dans le cadre de la réalisation de chaque mission, l'auditeur est amené à réaliser l'inventaire de toutes les dispositions applicables, tant d'origine réglementaire que conventionnelle.

## 1.3. MULTIPLICITÉ DES ENJEUX ÉCONOMIQUES, TECHNIQUES ET SOCIAUX

Les enjeux économiques, techniques, sociaux de l'A.T.T. sont multiples, variés, contradictoires.

L'A.T.T. pourra porter sur :
— la durée réelle du temps de travail ;
— les rythmes journaliers, annuels ;
— les contenus du travail ;

— les règles et procédures organisationnelles ;

mais encore concerner (globalement ou spécifiquement) :

— employés ;
— cadres ;
— équipes ;
— ateliers ;
— sites.

L'A.T.T. peut avoir des conséquences directes ou indirectes sur :

### a) *Les personnels*

— réduction de l'absentéisme ;
— réduction du turn-over ;
— conditions de travail améliorées ;
— réduction des accidents du travail ;
— diminution de la fatigue et de l'usure physique et mentale ;
— amélioration des relations sociales ;
— possibilité de formations complémentaires ;
— qualification améliorée, polyvalence.

### b) *L'organisation de la production et des services*

— optimalisation de la durée d'utilisation des installations : (D.U.E.), bâtiments, machines, matériels ;
— réduction des investissements en matériels et locaux ;
— réduction du risque d'obsolescence ;
— amélioration de la gestion des stocks ;
— diminution des frais fixes de structure ;
— diminution des frais indirects/relatifs des personnels (services communs, gestion du personnel).

### c) *Les produits et services offerts*

— amélioration de la qualité ;
— amélioration de la durée ;
— augmentation de la durée d'utilisation des équipements, des services à la clientèle :
  • heures d'ouverture ;
  • suppression des fermetures annuelles ;
  • suppression des ruptures d'approvisionnement ;
  • flexibilité des différents services.

L'ensemble des avantages entraîne une réduction des coûts et procure des bénéfices aux :

### a) *Consommateurs et clients*

— baisse des prix ;
— amélioration de la qualité des produits ;
— augmentation et permanence des services rendus.

### b) *Investisseurs*

— rotation des capitaux investis plus rapide dans les stocks ;
— réduction de la durée d'obsolescence des matériels.

### c) *Salariés de l'entreprise*

— utilisation du temps choisi ;
— augmentation des salaires ou diminution du temps de travail ;
— amélioration de la qualité de la vie au travail et hors travail ;
— sécurité de l'emploi ;
— formation permanente.

### d) *Collectivités*

— création ou maintien de l'emploi ;
— cohérence social ;
— résistance à la concurrence étrangère.

Cet inventaire, non exhaustif, des enjeux de l'A.T.T. éclaire suffisamment leur incorporation aux enjeux des mutations sociales et technologiques en cours.

## 1.4. IMPORTANCE DES ATTENTES DES SALARIÉS

L'aménagement des temps a des répercussions très fortes sur la vie du salarié et, de ce fait, sur les comportements qu'il adopte vis-à-vis de son travail et de l'entreprise. Il n'est pas possible d'agir, dans ce domaine, sans connaître et prendre en compte les aspirations du personnel.

L'auditeur est donc souvent amené à étudier les attentes des salariés et leur perception des systèmes d'organisation des temps dans leur entreprise. Il dispose, toutefois, des enquêtes existantes, dont il vérifie les possibilités d'utilisation. Il doit, fréquemment, réaliser lui-même ou organiser les enquêtes nécessaires (16). Les enquêtes d'opinion périodiques réalisées dans certaines entreprises comportent, généralement, des questions portant sur l'aménagement des temps de travail.

Pour mettre en œuvre une politique spécifique, il est souvent nécessaire de réaliser une enquête particulière. Ces enquêtes ont été nombreuses lors de l'introduction des horaires personnalisés ou de la semaine souple. Aujourd'hui, l'introduction du temps partiel suscite des enquêtes menées soit par les services du personnel seuls, soit en collaboration avec les représentants des salariés.

---

(16) Peretti (J.-M.) & Vachette (J.-L.), La méthodologie des enquêtes d'opinion est présentée dans le chapitre 10 d'*Audit Social*, Les Éditions d'Organisation, 1985.

La Banque Indosuez, par exemple, a demandé au C.H.S.C.T. (Comité d'Hygiène, de Sécurité et des Conditions de Travail) d'élaborer un questionnaire pour lancer une enquête d'opinion anonyme auprès du personnel, pour mieux connaître ses réactions et les formules qui auraient sa faveur. Sans reprendre dans le détail l'ensemble des résultats de cette enquête, on peut noter les faits saillants suivants :

— *un taux de réponses élevé : plus de 1 300 réponses sur 2 600 salariés dont :*
  - *37 % chez les hommes, 56 % chez les femmes,*
  - *45 % chez les employés, 50 % chez les gradés, 47 % chez les cadres,*
— *environ 95 % des personnes ayant répondu considèrent que le T.T.P. (Travail à Temps Partiel) entraînerait une amélioration des conditions de vie de certaines personnes et 67 % considèrent que le développement du T.T.P. est tout à fait possible dans leur propre service ;*
— *les avantages du T.T.P. sont perçus par ordre d'intérêt décroissant : l'éducation des enfants, les loisirs et la culture personnelle, l'équilibre personnel, la possibilité d'autres activités externes, la possibilité d'études complémentaires ou de formation professionnelle. En matière de formules souhaitées, le « premier choix » se concentre sur les formules suivantes :*
  - *4 journées de 7 heures (avec mercredi libre) : 33 % des réponses totales ;*
  - *5 journées de 6 heures : 10 % des réponses totales ;*
  - *1 semaine sur 2 : 7 % des réponses totales ;*
  - *des formules de congés supplémentaires : 7 % des réponses totales ;*
  - *5 journées de 4 heures : 6 % des réponses totales.*
— *pour obtenir un poste à temps partiel, les salariés se déclarent prêts :*
  - *à changer de poste : 50 % des réponses totales ;*
  - *à commencer plus tôt le matin : 38 % des réponses totales ;*
  - *à terminer plus tard le soir : 23 % des réponses totales ;*
  - *à se « jumeler » avec une autre personne : 71 % des réponses totales.*

Ces résultats ont permis d'aboutir à la signature d'un accord.

L'auditeur utilise, également, les résultats des enquêtes nationales dont les résultats, affinés selon de nombreuses caractéristiques individuelles, font apparaître des évolutions et permettent de faire des hypothèses concernant les attentes dans l'entreprise.

Ainsi l'enquête annuelle du C.R.E.D.O.C. fait ressortir les aspirations des Français dans divers domaines. L'évolution des réponses apportées à certaines questions sont particulièrement intéressantes (17) :

— moindre attrait pour le temps libre (tableau 6) dans l'arbitrage rémunération-loisirs.

Tableau 6

**Travail et organisation du temps**

| Quelle est votre préférence entre... ? | | | | |
|---|---|---|---|---|
| | | | (population active) | |
| | 1982 | | 1983 | |
| | % | effectifs | % | effectifs |
| Une amélioration de votre pouvoir d'achat | 54,8 | (570) | 61,6 | (608) |
| Un temps libre plus long | 44,4 | (462) | 37,0 | (365) |
| Les deux | 0,5 | (6) | 1,1 | (11) |
| Ne sait pas | 0,2 | (2) | 0,4 | (4) |
| Ensemble | 100 | (1 039) | 100 | (988) |

Sources : *Futuribles, mars 1980, p. 24.*

— préférence pour les ponts (tableau 7) au détriment de la durée hebdomadaire :

Tableau 7

**Réduction du temps de travail**

| Dans le cas d'une réduction du temps de travail à 35 heures de travail par semaine, que souhaiteriez-vous en priorité ? | | | | |
|---|---|---|---|---|
| | | | (population salariée) | |
| | 1982 | | 1983 | |
| | % | effectifs | % | effectifs |
| Une heure en moins de travail par jour pour mieux vivre votre journée (vie familiale, etc.) | 15,9 | (127) | 17,2 | (133) |
| Une demi-journée libre par semaine | 34,6 | (276) | 29,2 | (224) |
| Des journées libres pour prolonger des week-end ou faire des ponts | 29,4 | (235) | 33,4 | (257) |
| Des journées libres s'ajoutant aux congés annuels | 12,0 | (96) | 8,9 | (68) |
| Ne sait pas | 0,4 | (3) | 2,5 | (20) |
| Sans objet | 7,7 | (61) | 8,8 | (68) |
| Ensemble | 100 | (798) | 100 | (770) |

Sources : *Futuribles, mars 1980, p. 23.*

(17) Conditions de vie et aspirations des français, in *Futuribles*, mars 1983.

Il est également intéressant de connaître les anticipations relatives à la durée du travail. Le sondage Figaro-Sofres de mars 1985 apporte un élément intéressant (18).

### Tableau 8

**Question. — Pensez-vous qu'en l'an 2000,**
**la durée du travail hebdomadaire sera de...**

| | | |
|---|---:|---:|
| — 40 heures par semaine ou un peu plus . . . . . . . . . . | 9 | |
| — 39 heures ou un peu moins (38 heures par ex.) . . . . | 13 | |
| — 35 heures ou un peu plus (36 heures ou 37 heures) . | 36 | 66 |
| — Ou moins de 35 heures . . . . . . . . . . . . . . . . . . . . | 30 | |
| — Sans opinion . . . . . . . . . . . . . . . . . . . . . . . . . . | 12 | |
| | 100 % | |

Très souvent, le responsable d'entreprise dispose de nouvelles données d'enquêtes et des commentaires qu'elles suscitent. Un sondage de l'« *Institut de l'Entreprise* » et de la revue « *L'Usine Nouvelle* » (19) donne le résultat suivant :

### Tableau 9

**On parle de la réduction du temps de travail.**
**Vous, personnellement, que préféreriez-vous ?**

| | Total | Hommes | Femmes |
|---|---|---|---|
| ☐ travailler plus longtemps, faire plus d'heures et gagner un peu plus. | 55 | 60 | 50 |
| ☐ travailler moins longtemps, faire moins d'heures et gagner un peu moins. | 42 | 38 | 47 |
| ☐ ne peut dire. | 3 | 2 | 3 |

(en %)

Alain Pauché commente ainsi ces résultats :

*« A propos de la réduction du temps de travail, plus d'un Français sur deux déclare préférer travailler plus longtemps et gagner plus que travailler moins longtemps et gagner moins. Leur travail et leur niveau de vie les motivent !*

*Mais la lecture de ce tableau 5 suscite bien d'autres commentaires. D'abord, face à la réduction du temps de travail, la France n'est pas seulement coupée en deux, mais dans la ''masse'' et dans plusieurs sens.*

---

(18) La grande peur de l'an 2000, in *Le Figaro,* 17 avril 1985, page 2.
(19) Pauche (A.), Français, qu'attendez-vous de l'entreprise in *L'Usine Nouvelle,* n° 12, 21 mars 1985, page 46.

*Les femmes ne font pas, dans les mêmes proportions les mêmes choix que les hommes. Les cadres moyens et employés sont plus nombreux à déclarer travailler moins longtemps que les ouvriers et cadres supérieurs (respectivement 48 % et 36 %). Les habitants de l'Ouest et du Centre-Est sont également plus nombreux (52 % et 47 %) à choisir la deuxième option alors que ceux du Sud-Ouest votent en masse (65 %) pour la première. Enfin, les Français de gauche sont majoritaires chez les ''travaillons moins gagnons moins ».*

Parmi les enquêtes périodiques on peut citer le baromètre mensuel exclusif « I.F.O.P.-Gestion Sociale » (20). Ce baromètre, très riche, apporte des résultats détaillés par secteur, par classes d'âge et de qualification, par sexe et par type d'entreprise. Ces enquêtes font ressortir l'importance des attentes des salariés en matière d'aménagement des temps et leur désir profond et croissant, de pouvoir décider eux-mêmes de l'organisation de leur temps.

Les travaux de Pierre Poret (21), portant en particulier sur les expériences des Laboratoires Servier et B.S.N., ont fait ressortir les possibilités considérables d'accroissement de la productivité qu'offrait la prise en compte de ce souhait d'autonomie dans la gestion du temps.

C'est dire l'intérêt du dialogue et des négociations sur l'aménagement des temps.

## 1.5. UN DIALOGUE PERMANENT SUR LE TEMPS DE TRAVAIL

L'importance des enjeux et des attentes impose un dialogue permanent.

*« Si l'aménagement s'entoure de garanties nécessaires concernant la protection sociale des salariés, la réduction des durées du travail individuelles constitue un élément de réponse aux aspirations à de meilleures conditions de vie, en même temps qu'une réponse partielle au problème du chômage. Ces constatations n'ouvrent-elles pas de vastes perspectives pour des négociations qui permettraient de faire converger, dans certains domaines, les intérêts respectifs de toutes les parties en présence (22) ? »*

---

(20) Gestion Sociale est une lettre confidentielle publiée par *l'Expansion*.

(21) Poret (P.), *Productivité et aménagement du temps de travail*, Les Éditions d'Organisation, 1983.

(22) C.G.P., *op. cit.*, page 30.

## 1.5.1. DIALOGUE AVEC LES SYNDICATS

Avec les représentants syndicaux, le chef d'entreprise pourra (par accord ou convention), après autorisation de l'inspecteur du travail, déroger aux réglementations sur le repos dominical (article L.213.2), au travail de nuit des femmes (article L.213.2), en matière de report d'heures d'une semaine à une autre en cas de pratique d'horaires individualisés, de même en matière de modulation de la durée hebdomadaire du travail.

L'ordonnance du 16 janvier 1982 avait d'ailleurs étendu cette possibilité de dérogation par convention, concernant l'A.T.T. : durée de travail quotidien ou hebdomadaire, contingent d'heures supplémentaires, repos dominical, période d'application des congés payés.

La loi du 28.02.1986 (L. 212-2-2, L. 212-8) a reprécisé les modalités de négociation des dérogations applicables à l'entreprise avec convention ou accord collectif de branche.

## 1.5.2. DIALOGUE PERMANENT AVEC LE COMITÉ D'ENTREPRISE

Au moins une fois l'an, le chef d'entreprise présente au C.E. (article L.427.1) un rapport écrit sur l'A.C.T. (Amélioration des Conditions de Travail) et, en particulier, sur la recherche et la résolution des problèmes concernant la durée et les horaires de travail, notamment le travail de nuit et posté.

Chaque année est soumis au C.E. un bilan du travail à temps partiel, décrivant le nombre, le sexe, la qualification des salariés concernés et les refus ou acceptations motivés des permutations d'emploi à temps plein et/ou temps partiel (article L.212.4.5.).

Chaque fois que des mesures, décidées par le chef d'entreprise, risquent d'affecter les conditions d'emploi et de travail du personnel et, en particulier, la durée du travail, le C.E. est obligatoirement consulté pour toute modification apportée à l'usage ou à l'application :
— horaires à temps partiel inférieurs à ceux fixés légalement ou conventionnellement ;
— repos compensateur ;
— heures supplémentaires ;
— durée maximale journalière ou hebdomadaire ;
— travail de nuit ;
— repos hebdomadaire ;
— récupération des heures perdues ;
— plan d'étalement des congés payés ;
— chèques vacances ;

— congés de formation ;
— congés pour catastrophes naturelles.

De plus, le C.E. doit indiquer qu'il n'est pas opposé à déroger à la règle de l'horaire collectif de travail et à pratiquer des heures individualisées ; de même, son accord est nécessaire pour répartir la semaine de travail sur quatre jours et demi, sans toutefois dépasser la durée légale hebdomadaire.

En matière de congé d'éducation ouvrière, le refus d'accord doit être entériné par le C.E.

### 1.5.3. DIALOGUE PERMANENT AVEC LE C.H.S.C.T.

Conformément à la loi du 27 décembre 1973 (L.236.2.2.), et à l'accord interprofessionnel du 17 mars 1975, le C.H.S.C.T. doit être associé à la recherche de solution concernant :
— la durée et les horaires de travail ;
— l'A.T.T. (travail de nuit et posté).

Bien entendu, l'étude et l'avis du C.H.S.C.T. portera sur le seul plan technique en vue de mesurer les conséquences sur l'organisation matérielle du travail et leurs effets sur la santé physique et mentale des salariés.

Dans cet esprit de dialogue permanent, les rapports annuels présentés au C.E. seraient soumis à la consultation préalable du C.H.S.C.T.

### 1.5.4. DIALOGUE PERMANENT AVEC LES SALARIÉS

Afin, qu'au sein de chaque entreprise, les informations circulent et les consultations aient lieu, le législateur a prévu qu'en l'absence de C.E. ou C.H.S.C.T., les délégués du personnel soient investis des mêmes prérogatives.

Cet élargissement du dialogue, grâce à l'action éventuelle des délégués du personnel, s'est encore accrue avec la création du droit du salarié à « *l'expression directe et collective sur le contenu et l'organisation de leur travail ainsi que la définition et la mise en œuvre d'actions destinées à améliorer les conditions de travail* » (loi du 4 août 1982), qui inclut, bien évidemment, les horaires, les équipes et toute forme d'A.T.T.

Ce dialogue permanent est recommandé par le rapport A.R.T.T. (23) dans sa conclusion :

*Développer collectivement l'A.R.T.T., sous toutes ses formes et au sein de toutes les activités, paraît donc une voie à suivre*

---

(23) C.G.P., *op. cit.*, page 31.

*pour concilier la lutte contre le chômage, et la réponse aux aspira-
tions des salariés, avec la recherche des flexibilités nécessaires à la
modernisation économique et sociale. L'aménagement des horaires
de travail est un instrument précieux pour les entreprises, auxquelles il apporte les multiples éléments de souplesse permettant
d'adapter les rythmes de travail collectif aux contraintes de la
demande aux impératifs de la technologie et à la recherche de la
meilleure efficacité économique. »*

## 1.6. LES GRANDS CHOIX D'UNE POLITIQUE D'A.T.T.

### 1.6.1. TYPOLOGIE DES LOGIQUES

Le C.G.P. (24) a élaboré la typologie des logiques suivantes :
— Logique de « Répercussion ».
Pour répondre aux contraintes externes institutionnelles (exem-
ples : adhésion à une convention collective, mise en application
d'une réglementation...)
— Logique de « Politique Sociale »
Pour répondre à un choix idéologique ou politique de la direc-
tion générale sensibilisée à l'innovation sociale et au progrès.
— Logique de « Défense de l'Emploi »
Avec ou sans réorganisation des structures.
— Logique de la « Recherche de l'Efficacité Productive ».

En dehors de ces logiques facilement repérables, les objectifs
de mise en place de l'A.T.T. peuvent être la volonté d'élargir la
concertation sociale au sein de l'entreprise et de trouver des éventuels « *objectifs d'échanges* » à la politique d'innovation sociale.

### 1.6.2. LES OBJECTIFS

Progrès économique et progrès social apparaissent
indissociables.

---

(24) C.G.P., *op. cit.*, page 162.

Ainsi les rapports sur les « Principes d'Action » de Lafarge Coppée (25), élaborés en concertation avec l'encadrement précise :

« Il ne peut y avoir de progrès social sans progrès économique et, à l'inverse, le progrès social est une des clés du succès économique...

Le progrès social est une des clés du succès économique : la performance du Groupe est en effet étroitement liée à l'apport du personnel, des hommes et des femmes qui y travaillent. Le Groupe s'efforce donc de connaître ce que ses collaborateurs attendent de leur vie au travail pour essayer de les satisfaire et de répondre au mieux à leurs aspirations. »

Les attentes en matière d'A.T.T. étant très fortes, la politique d'aménagement est une composante importante des politiques sociales.

Parmi les axes politiques du groupe B.S.N. (26) en matière humaine et sociale, l'axe 4 concerne les conditions de travail :

« AXE 4 AMÉLIORER SIMULTANÉMENT LES CONDITIONS DE TRAVAIL ET L'EFFICACITÉ ÉCONOMIQUE AVEC LA PARTICIPATION DU PERSONNEL.

L'amélioration des conditions de travail reste une nécessité actuelle. Faire de l'usine, du bureau, un lieu où il soit agréable de se rendre pour y trouver un travail intéressant est une attente de plus en plus forte des travailleurs. L'amélioration des conditions de vie individuelles, la participation accrue des citoyens aux activités politiques, le développement de la conscience du consommateur ou des échanges culturels internationaux, tout ceci constitue un vaste mouvement rendant progressivement inacceptables des conditions de travail trop éloignées de celles de la vie courante.

Le Groupe est donc décidé à poursuivre et intensifier les efforts d'amélioration des conditions de la vie au travail sous leurs différents aspects. Particulièrement l'organisation de la vie au travail en aménageant les horaires selon les souhaits du personnel dans le respect des nécessités techniques et en limitant au maximum, par une meilleure organisation du travail, le nombre nécessaire de travailleurs postés en continu... ».

Michel Albert (27) voit dans l'A.T.T. un nouveau droit de l'homme :

---

(25) Lafarge Coppee, Principes d'action, page 5.
(26) B.S.N., Axes politiques en matière humaine et sociale.
(27) Albert (M.), *Le pari français*, Le seuil, 1982, page 243.

« *La réponse adéquate à la troisième révolution industrielle doit être révolutionnaire. Il s'agit de déclarer un nouveau droit de l'homme : le droit pour tout salarié de fixer son temps de travail comme il l'entend. Le droit de négocier librement avec son employeur, la durée et la répartition dans l'année de son temps de travail, sous réserve de la sauvegarde de ses droits collectifs ainsi que de préavis d'une durée suffisante.* »

Dans le rapport A.R.T.T., le C.G.P. (28) décèle les objectifs suivants :

— nécessité d'ajuster les rythmes de travail collectif aux fluctuations de la production et de la demande ;

— mieux répondre aux aspirations et aux attentes des salariés ;

— « *Le contexte quasi général, dans la plupart des groupes industriels est ainsi celui d'une inéluctable réduction tendancielle des effectifs.* » L'A.T.T. est envisagée, alors, pour « *préserver des emplois, et éviter des licenciements* » et utiliser l'A.R.T.T. « *comme un levier dans la recherche de l'efficacité économique* ».

### 1.6.3. LES STRATÉGIES

Les stratégies de l'A.T.T. utilisables pour mener à bien la politique choisie, peuvent être de plusieurs natures :

— Répartir le temps de travail dans son cadre journalier, hebdomadaire, annuel (horaires variables — horaires individualisés — semaine comprimée — horaires postés — modulation des horaires). Créer une flexibilité de la durée (temps partiel — temps partiel annuel et temps plein réduit — jumelage — travail pour plusieurs employeurs — étalement des congés — capitalisation en temps).

— Aménager les modalités du travail (travail à domicile — télétravail).

Dans son ouvrage, *Durée de Travail dans l'Entreprise*, l'Association Développement et Emploi a dessiné un schéma de la « *problématique globale* » de l'A.T.T. (29)

---

(28) C.G.P., *op. cit.*, page 227.
(29) F.N.G.E., Développement et emploi, *La durée du travail dans l'entreprise*, F.N.G.E., 1984, *op. cit.*, page 49.

Tableau 10
**Une problématique globale**

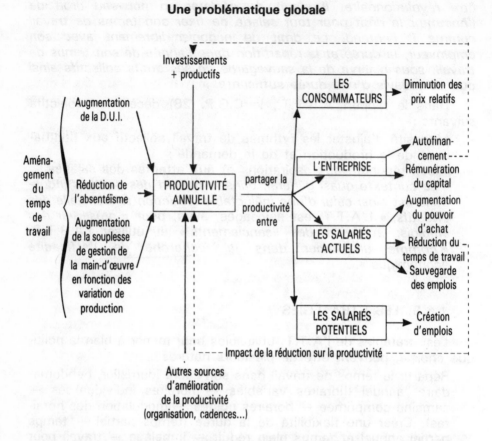

A un moment où la gestion prévisionnelle des entreprises et des organisations est de préserver la cohésion sociale et le consensus, face aux mutations technologiques en cours, l'A.T.T. devient un atout primordial de la politique sociale.

« *L'aménagement des temps constitue un terrain privilégié pour l'innovation sociale permettant d'intégrer les contraintes de l'entreprise et les attentes des salariés. Il est nécessaire que l'entreprise définisse et mette en œuvre une politique dynamique et volontariste dans ce domaine et que cette politique soit cohérente dans ses différents volets d'une part, et avec les autres politiques sociales d'autre part. Cette politique doit s'intégrer dans la stratégie de l'entreprise* (30). »

L'auditeur mène ses analyses à trois niveaux :
— l'élaboration de la politique des temps : niveaux concernés —

(30) Peretti (J.-M.) & Vachette (J.-L.), *Audit Social*, Les Éditions d'Organisation, 1985, page 204, 1985.

critères pris en compte — information disponible utilisée — expérimentation — participation des partenaires sociaux — etc. ;
— La mise en œuvre des actions programmées : demande d'introduction des changements — définition des procédures — information — responsabilités — etc.
— L'évaluation de la politique mise en œuvre et sa perception par les salariés.

# CHAPITRE II

# MÉTHODOLOGIE DE L'AUDIT DE L'AMÉNAGEMENT DES TEMPS DE TRAVAIL (A.A.T.T.)

L'audit social est l'examen professionnel des pratiques induites par l'existence de salariés dans l'entreprise en vue d'exprimer une opinion et de formuler des recommandations. Cette définition s'applique à l'audit de l'aménagement des temps sous réserve de restreindre le champ d'investigation à la durée du travail, à l'organisation des temps et aux pratiques induites. (§ 2.1.).

L'audit est un outil de pilotage de l'entreprise. Il ne se développe qu'en faisant la double preuve de son objectivité et de son utilité. L'opinion et les recommandations formulées ne sont pleinement utiles que si les objectifs de la mission sont clairement définis. Il est important de préciser la nature des différentes missions de l'audit de l'aménagement des temps (§ 2.2.). L'audit social est un examen professionnel. Ceci impose une démarche rigoureuse (§ 2.3.) et la réalisation de travaux pertinents adaptés. (§ 2.4.)

## 2.1. LE CHAMP D'INVESTIGATION DE L'AUDIT DE L'AMÉNAGEMENT DU TEMPS DE TRAVAIL (A.A.T.T.)

Durée et organisation du temps de travail sont deux facteurs permanents des conditions de travail. Gérées par l'entreprise, elles sont imposées aux salariés tant dans leur vie professionnelle que dans leur vie privée.

Durée et organisation du temps de travail déterminent des pratiques ajustées aux contraintes sociales, technologiques, commerciales et financières selon un corps de règles important et diversifié.

Le domaine de l'audit de l'aménagement du temps de travail (A.A.T.T.) recouvre la durée du temps de travail (2.1.1.) son organisation, c'est-à-dire ses rythmes (2.1.2.) et enfin les pratiques induites (2.1.3.).

### 2.1.1. LA DURÉE DU TEMPS DE TRAVAIL

Trois aspects de la vie active doivent être examinés : l'entrée ou la réinsertion, la fin, les interruptions d'activité. Les interruptions au cours de la durée normale du travail doivent également être prises en compte.

#### a) *L'entrée dans la vie active*

Dans le cadre de la réglementation applicable, ce thème recouvre les différents aspects de l'emploi des jeunes :
— embauche des moins de 18 ans, moins de 25 ans ;
— emploi temporaire des moins de 16 ans, moins de 18 ans, moins de 25 ans ;
— contrats d'apprentissage ;
— contrats pour l'insertion professionnelle des jeunes ;
— formation alternée ;
— stages scolaires et stages professionnels.

Il recouvre également la réinsertion des demandeurs d'emploi. Parmi ces mesures, on peut citer les Conventions avec le F.N.E., réglementées par l'article L.322.4. du code du travail sous l'appellation : « action de reclassement, placement et de reconversion professionnelle », dans les industries sidérurgiques les C.F.R. (congés de formation/reconversion) et les congés de conversion (C.C.).

#### b) *Le départ à la retraite*

Il marque la fin de la vie active dans le cadre de modalités légalese et conventionnelles. L'ensemble des mesures mises en œuvre pour préparer, accompagner et réaliser la fin de la vie active, ainsi que celles concernant les anciens peuvent être étudiées.
— préparation à la retraite ;
— aménagements de fin de carrière ;
— modalités de mise à la retraite ou de départ à la retraite ;
— les cessations anticipées ;
— les actions pour les retraités de l'entreprise.

#### c) *Les interruptions de l'activité du salarié*

Les interruptions de la vie active sont de plus en plus diverses et répondent aux contingences de la vie (naissance, mariage, etc.), aux besoins de la formation et, enfin, aux aspect de la vie sociétale.

Certaines interruptions ont été organisées par la loi ou les accords :

— congé individuel de formation (accord du 9 juillet 1970 progressivement modifié conventionnellement par la loi jusqu'à la loi du 24 février 1984) ;
— congé parental (loi du 12 juillet 1977 et du 4 janvier 1984) ;
— congé sabbatique (loi du 4 janvier 1984) ;
— congé pour création d'entreprise (loi du 4 janvier 1984) ;
— congé de conversion, créé en 1985 et destiné au reclassement des salariés touchés par des licenciements économiques.

Au-delà de ces dispositions, les entreprises ont souvent développé des formules originales en prévoyant des cas supplémentaires d'interruption ou des modalités spécifiques. Par exemple, Lesieur Cotelle a réalisé des expériences intéressantes pour faciliter la création d'entreprise pour son personnel, Rank Xerox a lancé en 1977 un programme « congé pour action sociale » (1 à 6 mois rémunérés).

### d) *Les interruptions au cours de la durée normale du travail*

Les interruptions au cours de la durée normale du travail sont variées dans leur forme et dans leur causes :

— arrêt pour raison de santé : visite médicale, soins, maladie, accident, cure ;
— pauses au cours du travail ;
— absences autorisées ou non ;
— heures de délégation pour les représentants du personnel ;
— heures consacrées à l'expression directe des salariés, aux cercles de qualité, aux groupes de progrès, cercles de sécurité ;
— temps consacrés à la formation interne ou externe ;
— temps de déplacements pour les salariés travaillant à l'extérieur de l'entreprise ;
— « trou » entre deux périodes de travail ;
— absences dues aux intempéries ;
— chômage partiel ;
— chômage technique.

L'audit peut se situer à trois niveaux :

— conformité des pratiques de l'entreprise avec la réglementation applicable et les dispositions internes ;
— efficacité des pratiques (notamment pour la sélection des jeunes, l'accueil et le suivi des personnes choisies selon les formules évoquées ci-desus) ;
— politique à l'égard de l'emploi, de la formation et de l'intégration professionnelle des jeunes et des chômeurs.

## 2.1.2. LES RYTHMES DE LA DURÉE DU TEMPS DE TRAVAIL

Les règles de la durée s'examinent selon des cycles annuels, hebdomadaires, quotidiens et saisonniers pour certaines activités.

### a) *Les rythmes annuels*

Les congés annuels payés et les jours fériés, complétés par des congés divers, réduisent le nombre de jours passés chaque année par le salarié dans l'entreprise. Les principaux thèmes examinés par l'auditeur sont :
— la durée du congé payé annuel dans l'entreprise et ses variations en fonction des caractéristiques individuelles (âge, sexe, ancienneté, assiduité...) ;
— l'organisation de la prise des congés payés ;
— le régime appliqué pour les jours fériés ;
— La durée et la gestion des congés d'origines diverses (maternité, événements familiaux, formation syndicale, activité d'intérêt général, etc.) ;
— les pratiques en matière de remplacement.

Au-delà des audits de conformité (respect de la loi, et plus particulièrement des conventions ou usages), l'auditeur vérifie la compatibilité des pratiques avec les choix politiques de l'entreprise et l'efficacité des décisions relevant de l'entreprise. Si l'entreprise a mis en œuvre un plan d'utilisation des congés supplémentaires pour lutter contre l'absentéisme, l'auditeur analysera les résultats en chiffrant les économies réalisées et les coûts engagés. L'audit d'un « P.I.E.C. » (Plan Individuel d'Épargne Congé), tel qu'il a été mis en œuvre chez Peugeot, permet d'en mesurer l'efficacité (1).

### b) *Les rythmes hebdomadaires et quotidiens*

Dans le cadre des dispositions relatives à la durée normale du travail, l'entreprise définit ses durées hebdomadaires et quotidiennes, ses horaires et l'organisation du temps de travail. Trois aspects importants de l'aménagement des temps sont évoqués plus loin : horaires particuliers, modulation des horaires, temps partiel. Les principaux rythmes abordés par l'auditeur concernent :
— la durée du travail effectif et ses variations selon les caractéristiques individuelles ;
— le recours aux heures supplémentaires et ses modalités ;
— le recours au chômage partiel et ses modalités ;
— la mise en place d'horaires individualisés, la définition des plages fixes et variables et les possibilités de report ;
— la répartition des horaires (amplitude, repos hebdomadaire, jour-

---

(1) Peretti (J.-M.), *op. cit.*, page 306.

née continue, semaine comprimée, choix de la formule, modification) ;
— la souplesse dans l'application des règles (retards, autorisation d'absence, aménagements individuels) et le niveau réel de négociation ;
— les négociations officielles menées dans l'entreprise (obligation annuelle de négocier) sur la durée et l'organisation du travail ;
— les aménagements particuliers à certaines catégories de salariés ;
— la connaissance par l'entreprise des attentes du personnel et des arbitrages souhaités ;
— le rôle effectif du comité d'entreprise en matière d'horaires ;
— la recherche de modalités originales susceptibles d'améliorer la productivité et la satisfaction au travail ;
— l'analyse de l'absentéisme (2).

L'auditeur étudie en particulier l'influence de la gestion des temps dans l'entreprise sur l'évolution de la productivité et la réduction des coûts sociaux (3).

c) *Les rythmes saisonniers ou périodiques*

La durée du travail est souvent la conséquence du caractère atypique de l'emploi : saisonnier, périodique, exceptionnel. Les emplois à caractère saisonnier sont définis par une circulaire du 23 février 1982 du ministère du Travail :

« *Il s'agit des travaux qui sont normalement appelés à se répéter chaque année à date à peu près fixe en fonction du rythme des saisons ou des modes de vie collectifs et qui sont effectués pour le compte d'une entreprise dont l'activité obéit aux mêmes variations. Les emplois saisonniers se rattachent principalement à l'agriculture, aux industries agro-alimentaires et au tourisme.* »

Les emplois périodiques, occasionnels, exceptionnels, consacrés par l'usage sont précisés par l'article D.121.2. du code du travail (décret du 22 mars 1983), et relèvent, généralement, des contrats à durée déterminée.

A titre d'exemple, on peut citer :
— les exploitations forestières ;
— l'hôtellerie et la restauration ;
— l'enseignement ;
— le sport professionnel ;
— les spectacles.

---

(2) Thevenet (M.), *L'absentéisme et la gestion du personnel*, Thèse I.A.E. Aix, décembre 1981.
(3) Poret (P.), *op. cit.*, page 71.

Tableau 11

**Grille descriptive des principales formes d'aménagement du temps de travail**

| | AMÉNAGEMENT PAR ACCORD INDIVIDUEL | | AMÉNAGEMENT PAR NÉGOCIATION COLLECTIVE OU DÉCISION GÉNÉRALE | |
|---|---|---|---|---|
| | *Sans consé-quence sur la durée du travail* | *Avec réduction de la durée du travail* | *Sans consé-quence sur la durée du travail* | *Sans réduction de la durée du travail* |
| JOURNÉE | • Horaires souples (variables ou à la carte) | • Temps partiel | • Horaires souples et horaires décalés (selon servi-ces ou en fonction de choix personnels) | • Journée continue (temps de repas inclus dans le temps de travail) |
| SEMAINE | • Horaires souples<br>• Alternance (une semaine courte/une semaine longue) | • Temps par-tiel<br>• « Twin-ning » (méthode britannique de jumelage de deux per-sonnes volontaires pour un seul poste) | • Semaine comprimée (40 h sur 4 jours ou 4,5 jours)<br>• « Postage/ dépostage » (passage d'emplois d'équipes successives en postes de jours ou le contraire) | • Repos com-pensateur (H.S.)<br>• Réduction « des équi-valences »<br>• Réduction de la durée hebdoma-daire (en par-ticulier, au-dessous de 40 h).<br>• Diminution du travail de nuit. |
| ANNÉE | • Étalement des congés<br><br><br><br>• Travail à domicile | • Temps par-tiel<br>• Temps tem-poraire<br>• Travail sai-sonnier<br>• Travail à domicile | • Étalement des congés<br>• Capitali-sation annuelle | • Chômage technique<br>• PIEC (Plan individuel d'épargne-congé)<br>• Allongement des congés |
| VIE ACTIVE | • Travail à domicile | • Congés sans solde (en particulier congé paren-tal légal)<br>• Travail tem-poraire<br>• retraite pro-gressive<br>• Formation longue durée et formation alternée. | • Réduction du « temps contraint » (réduction du temps de trajet, amé-lioration des ramas-sages...) | • « PIEC Retraite » cumul des points indivi-duels en fin de vie active)<br>• Abais-sement de l'âge de la retraite et pré-retraites |

### 2.1.3. LES PRATIQUES DE L'A.T.T.

Les pratiques de l'A.T.T. sont, actuellement, très nombreuses et diverses. Elles peuvent résulter d'accords entreprise/salariés selon des choix individuels, ou d'accords collectifs d'application générale ou particulière.

Une description non limitative est donnée dans *« Durée du temps de travail dans l'entreprise »* (4).

Le ministère du Travail, dans ses enquêtes sur les conditions de travail (5) a répertorié les pratiques de l'A.T.T. selon :

- le type d'horaires :
  - même horaire tous les jours ;
  - alternants : 2 équipes, 3 équipes ou plus ;
  - différents d'un jour à l'autre, mais fixés par l'entreprise ;
  - modifiables par le salarié, d'un jour à l'autre, dans un système de type « horaire à la carte » ;
  - variables d'un jour à l'autre, déterminés par les salariés.
- l'heure de début de travail et l'heure de fin de travail.
- le travail de nuit (entre 0 heure et 5 heures) :
  - au moins une nuit par an ;
  - plus de 100 nuits par an.
- le nombre de jours travaillés dans la semaine :
  - nombre de jours différent d'une semaine à l'autre ;
  - nombre de jours fixe par semaine ;
  - le repos hebdomadaire de plus de 48 heures consécutifs ;
- le travail le samedi, le dimanche :
  - 1 samedi par an ;
  - 41 samedis ou plus par an.
- le travail le mercredi :
  - 0 mercredi ;
  - 1 à 15 mercredis.
- le travail à temps partiel.

Quelques expériences récentes illustrent la diversité des pratiques :
- **Carrefour :** négociation hebdomadaire des horaires entre les chefs de rayons et leurs personnels — durée minimum 4 heures, durée maximum 12 heures (6) ;
- **3 M :** « 4 équipes-6 jours » (7) durée hebdomadaire fondée sur un cycle de 4 semaines, avec des factions matin, après-midi,

---

(4) F.N.G.E., *op. cit.*, page 71.
(5) Ministère du Travail, Enquêtes sur les conditions de travail. La Documentation Française, mars 1984/avril 1985.
(6) Carrefour, Accord d'entreprise 1984.
(7) 3M France, Accord d'établissement, Beauchamp, mars 1984.

nuit diversifiés et 4 équipes de 6 jours selon le schéma ci-dessous :

| Horaire affiché | Faction du matin | 8 h 50 |
| | Faction de l'après-midi | 8 h 00 |
| | à l'exception du samedi après-midi | 8 h 50 |
| | Faction de la nuit | 7 h 50 |

Moyenne horaire pratiquée 34 h 250 sur un cycle de 4 semaines :

| 1 semaine à | 34 h 00 | (4 factions du matin à 8 h 50) |
| 1 semaine à | 32 h 50 | (4 factions après-midi dont 1 samedi a/m) |
| 1 semaine à | 33 h 00 | (2 factions matin + 2 factions après-midi) |
| 1 semaine à | 37 h 50 | (5 factions du matin) |

Total... 137 h 00 : 4 = 34 h 250

Les factions de nuit à 7 h 50 sont les plus courtes afin de diminuer au maximum la durée du travail de nuit. Ces factions de nuit se présentent 1 semaine sur 4 au lieu d'une semaine sur 3 et sont toujours entourées d'un repos de 3 jours précédant la semaine de nuit et de 4 jours suivant la semaine de nuit.

Le recours aux heures complémentaires et supplémentaires, ne peut être qu'occasionnel et les majorations pour heures supplémentaires seront réglées pour tout horaire dépassant l'horaire légal de 39 heures. Sur la moyenne du cycle, les heures comprises entre la 137e et la 152e, effectuées en application des Articles 12, Alinéa 8 de l'Avenant n° 1, et 13, Alinéa 8 de l'Avenant n° 2 des Conventions collectives de la Chimie seront rémunérées au taux de 100 % au salarié maintenu à son poste et, quel qu'en soit le motif, donneront lieu à l'abattement sur les appointements du salarié défaillant.

A la demande de la hiérarchie, ces mêmes heures effectuées au-delà de la faction seront rémunérées sur les mêmes bases que précitées.

Les heures comprises entre la 153e heure et la 156e heure sont des heures complémentaires. Au-delà de la 156e heure, les majorations pour heures supplémentaires sont appliquées.

Le personnel en horaire 2 × 8 qui se verrait appliquer ce statut « 6 jours » travaillerait alors sur une base d'un horaire affiché de 35 h 00 en 4 jours. Les rotations d'équipe seraient étudiées selon la procédure de mise en œuvre et de suivi contenu dans ce Protocole.

— Au **Crédit Industriel et Commercial de Paris (C.I.C.)** (8), l'accord du 23.10.84 sur le temps partiel prévoit la possibilité de travail-

_____

(8) A.N.A.C.T., Lettre n° 98, page 3.

ler à 50 %, 60 %, 70 % ou 80 % du plein temps. Dans l'enquête préalable auprès du personnel, 30 % des salariés s'étaient déclarés potentiellement intéressés.
— A **E.D.F./G.D.F.** (9), les agents ont la possibilité de convertir, totalement ou partiellement, leur prime de 13e mois en congés supplémentaires (entre 0 et 20 jours). En 1984, 8 500 agents sur un total de 153 000 ont utilisé cette possibilité (soit 5,5 %). Ils ont pris en moyenne dix jours de congé supplémentaire.

## 2.2. LES MISSIONS

Les principales missions de l'A.A.T.T., peuvent être regroupées en quatre domaines, à savoir : le contrôle de l'information sur les temps de travail (2.2.1), le contrôle de l'application des procédures (2.2.2), l'examen de l'efficacité des pratiques retenues (2.2.3) et, enfin, l'audit stratégique (2.2.4.). Les missions de l'A.A.T.T., doivent répondre aux objectifs de l'audit issus d'une déontologie professionnelle (2.2.5.).

### 2.2.1. LE CONTRÔLE DE L'INFORMATION SUR LES TEMPS DE TRAVAIL

Les informations sur le temps de travail sont très variées dans leurs sources et dans leurs formes :
— historiques ou prévisionnelles ;
— externes ou internes ;
— quantitatives ou qualitatives ;
— objectives ou subjectives ;
— formelles ou informelles ;
— chiffrées ou non.

L'examen de ces informations doit répondre aux quatre critères de l'audit :
— caractère professionnel de l'examen résultant d'une méthode, de techniques et d'outils spécifiques et de la compétence de l'auditeur dans le domaine social ;
— référence à des critères de qualité tels que la régularité, la fidélité ou l'efficacité ;
— expression d'une opinion à travers un jugement et formulation d'un certain nombre de préconisations ;

---

(9) A.N.A.C.T., Lettre n° 98, page 3.

— accroissement de l'utilité de l'information par l'amélioration de sa crédibilité et de sa fiabilité.

Les informations contrôlées proviennent de diverses sources :
— le bilan social ;
— l'ensemble des documents relatifs aux effectifs, aux rémunérations, aux accidents du travail, aux conditions de travail, à la formation et aux autres aspects sociaux que l'entité doit fournir à l'extérieur (administration, organismes sociaux, groupements professionnels, etc.) ;
— les informations diffusées aux représentants du personnel dans le cadre des textes légaux et réglementaires. En particulier la loi du 28 octobre 1982 sur les institutions représentatives du personnel organise l'information des membres du Comité d'entreprise. Dans le cadre de la loi du 13 novembre 1982, l'information préalable des délégués syndicaux devant mener les négociations obligatoires a également été précisée ;
— les documents et informations fournis aux salariés dans le cadre des procédures de communication et d'information mises en œuvre dans les entreprises pour répondre à des obligations (bilan social, groupes d'expression directe, etc.) ou volontairement ;
— les informations utilisées dans le cadre de l'administration et de la gestion du personnel.

Une masse d'informations importante est regroupée dans le bilan social. Aussi l'audit du bilan social est-il devenu, dès la parution en 1979 des premiers documents, un domaine privilégié du contrôle interne. R. Danziger note « *une des faiblesses du bilan social consiste à recenser dans un tableau unique nombre de renseignements connus pour d'autres usages... Les contrôles de sécurité se proposent de pallier les risques dus à la diversité des sources, des transmissions, des unités de mesure* » (10). L'examen des premiers bilans sociaux publiés en 1979 a fait ressortir les carences nombreuses de l'information sociale du fait, en particulier, de l'insuffisance des systèmes de définition. Les travaux menés au sein d'« Entreprise et Personnel » par « Expertise et audit social » ont souligné les faiblesses des premiers bilans sociaux (11).

L'information contenue dans le bilan social en matière de temps et durée illustre la variété des problèmes de saisie et de contrôle. Pour un établissement (commerce ou services) le bilan contient les informations ci-dessous :

___

(10) Danziger (R.), *Le Bilan social,* Dunod, Paris, 1983.
(11) Peretti (J.-M.), Numéro spécial sur le bilan social, Les Liaisons Sociales, 1981.

(N° 12) — nombre moyen mensuel de travailleurs temporaires, durée moyenne des contrats de travail temporaire.

(N° 16) — nombre total d'heures de chômage partiel pendant l'année considérée, indemnisée, non indemnisée.

(N° 18) — nombre de journées d'absence, nombre de journées théoriques travaillées ; nombre de journées d'absence par causes, répartition de la maladie selon la durée de l'absence.

(N° 31) — nombre d'heures travaillées, nombre de journées perdues pour accidents du travail.

(N° 41) — horaire hebdomadaire moyen affiché, repos compensateur par le système légal ou par un système conventionnel, nombre de salariés ayant bénéficié d'un horaire individualisé, occupés à temps partiel, ayant bénéficié de deux jours de repos hebdomadaires consécutifs, nombre de jours fériés payés, nombre moyen de jours de congés annuels.

(N° 46) — part du temps consacré par le médecin du travail à l'intervention en milieu de travail.

(N° 51) — nombre d'heures de stage rémunérées, non rémunérées par catégorie.

(N° 61) — volume global des crédits d'heures utilisés pendant l'année considérée.

(N° 62) — nombre d'heures consacrées aux différentes formes de réunions du personnel.

## 2.2.2. LE CONTRÔLE DE L'APPLICATION DES PROCÉDURES, OU AUDIT DE CONFORMITÉ

Pour répondre aux exigences d'une réglementation sociale très fournie, établir une administration du personnel fiable et mettre en œuvre une politique de développement humain et social, les entreprises doivent élaborer un ensemble de procédures dont la richesse et la complexité croissent avec la taille, le degré de décentralisation et les objectifs de la politique sociale.

Il appartient à l'auditeur de veiller au respect des procédures. L'auditeur apprécie le bon déroulement des opérations par rapport aux règles en vigueur. Ces règles peuvent avoir quatre sources :

### 1) Les dispositions légales ou réglementaires

Le droit social est en expansion constante. Il y a un siècle n'existaient que quelques mesures législatives d'hygiène et de sécurité pour les travailleurs de la grande industrie. Aujourd'hui, l'abondance des textes les rend difficilement assimilables et opérationnels. Les pratiques de l'entreprise doivent être en conformité

53

avec la Constitution dont le préambule pose un certain nombre de principes fondamentaux (droit au travail, droit de grève, droit syndical, etc.), les normes internationales (traités internationaux bilatéraux, droit social européen), les lois et les ordonnances, les décrets et arrêtés. Il est également généralement préférable de tenir compte de l'interprétation de certains textes donnés par un ministre (circulaires administratives, réponses ministérielles). Ces consignes n'ont pas de valeur réglementaire mais indiquent, en l'absence de jugement, la position qui sera adoptée par les fonctionnaires concernés. Il est également important de tenir compte de la jurisprudence. En matière sociale, la jurisprudence s'élabore relativement plus vite que dans d'autres domaines. C'est ainsi que l'on peut citer l'arrêt de la Cour de Cassation/soc. 14 mars 1983 (Bassini Mousse contre S.A. Soler Seguin) avec le commentaire du Légi Social (12) :

*« L'aménagement des horaires de travail des salariés reste une des prérogatives de l'employeur sous réserve d'une consultation préalable du comité d'entreprise ou, à défaut, des délégués du personnel. Les nouveaux horaires ainsi fixés s'imposent aux salariés ; ceux qui refuseraient de s'y soumettre prennent la responsabilité de la rupture du contrat. Cela signifie qu'ils sont considérés comme démissionnaires et perdent tous leurs droits aux indemnités de préavis et de licenciement. »*

### 2) *Les sources conventionnelles*

Le droit social est largement d'origine conventionnelle. Les conventions collectives se situent à différents niveaux : accords interprofessionnels, conventions collectives nationales ou locales de branche, accord d'entreprise et accord d'établissement. La loi du 13 novembre 1982 sur la négociation collective renforce l'importance des sources conventionnelles du droit du travail. D'autres textes (loi sur la formation permanente du 24 février 1984, loi sur l'expression directe des salariés du 4 août 1982, ordonnances sur la réduction et l'aménagement de la durée du travail du 16 janvier 1982 par exemple) ont également favorisé le développement de négociations dans l'entreprise et la signature d'accords plus nombreux. Ainsi en 1983, environ 3 000 accords ont été signés. Les pratiques des entreprises sont, dans certains cas, formalisées dans des procédures internes.

### 3) *Les procédures internes*

De nombreuses procédures sont formalisées sous forme écrite à travers différents supports : manuels, guides de procédures,

---

(12) *Légisocial,* n° 12, mai 1984, page 16.

notes de service, etc. Ces procéduresplication des règles légales et conventionnelles. Ces procédures renvoient également aux techniques de gestion du personnel mises en œuvre dans l'entreprise. Très fréquemment, les procédures intègrent des règles d'origine interne et externe. Ainsi le manuel de procédure de recrutement doit à la fois tenir compte des contraintes légales et des préoccupations spécifiques de l'entreprise.

### 4) *Les usages et procédures non formalisées*

En l'absence de procédures écrites, il existe fréquemment des pratiques et des usages s'appliquant dans toute l'entreprise ou dans certains ateliers et services. Des instructions verbales régissent parfois des pans entiers de la gestion du personnel. Les procédures informelles pallient l'insuffisance ou l'inadaptation des procédures formalisées.

Ainsi en matière de procédure d'accueil, les grilles d'indicateurs du bilan social d'entreprises comportent souvent le thème *« procédure d'accueil »*. Or, un grand nombre d'entreprises assujetties, c'est-à-dire ayant plus de trois cents salariés, répondent sur ce point : *« Il n'y a pas de procédures formalisées. »* Il en est fréquemment de même pour un autre thème, abordé dans le bilan social : *« L'entretien annuel d'appréciation »*.

Le non-respect des procédures et règles est analysé de façon approfondie. Cet examen conduit à des recommandations pouvant se situer à trois niveaux :

— information et formation d'agents défaillants ;
— refonte des procédures permettant une meilleure adaptation aux contraintes de travail ;
— abandon de procédures dont le coût de mise en œuvre effective apparaît disproportionné par rapport aux avantages escomptés.

### 2.2.3. AUDIT D'EFFICACITÉ DES PRATIQUES D'A.T.T. MISES EN PLACE

Vérifier l'efficacité d'une pratique d'A.T.T., c'est répondre à la question : *« L'A.T.T. mis en place a-t-il permis et dans quelle mesure, d'atteindre les objectifs recherchés ? »*

Pour mener à bien la mission, l'auditeur doit donc connaître les objectifs visés. L'identification des objectifs constitue un préalable.

L'auditeur s'efforce de dégager les objectifs poursuivis, tant au niveau de la direction générale qu'au niveau de l'application, tout en décelant, si possible, les objectifs explicites ou implicites, conscients ou inconscients, exprimés ou non exprimés.

Ainsi, le développement du temps partiel peut répondre à un, ou plusieurs des objectifs suivants :

— satisfaire des demandes de salariés ;
— éviter les licenciements ;
— accroître la durée d'utilisation des équipements ;
— faire face aux pointes d'activité quotidiennes ou hebdomadaires ;
— accroître la flexibilité (heures complémentaires) ;
— suivre la mode ;
— apporter une contrepartie lors de négociations ;
— satisfaire les représentants des salariés.

L'auditeur doit « se faire dire » quelle a été l'histoire de la pratique d'A.T.T. mise en place, en examinant les expériences déjà réalisées, en les évaluant si possible dans leur déroulement. L'auditeur procède à l'analyse des moyens et des ressources mis en œuvre, prévus, réellement effectives et examine le déroulement de la mise en place de la pratique d'A.T.T. auditée.

Enfin, l'auditeur dresse le bilan des conséquences de l'A.T.T. sur l'unité étudiée et les résultats. Le chapitre IV donne un modèle de grilles d'analyse générale et des exemples des pratiques les plus courantes.

### 2.2.4. AUDIT STRATÉGIQUE

Les missions d'audit stratégique permettent de répondre à trois séries d'interrogations :

1) La stratégie globale et la stratégie sociale de l'organisation incluent-elles le facteur A.T.T. ? Sous quelles formes ?
2) Existe-t-il des objectifs en matière d'A.T.T. ? Sont-ils formalisés ? Sont-ils diffusés ? Ont-ils été régulièrement actualisés ?
3) Les objectifs, en matière d'A.T.T., sont-ils cohérents entre eux ? Et avec les objectifs des autres aspects de la politique sociale ?

L'audit stratégique porte, également, sur l'innovation en matière d'A.T.T.

L'aménagement des temps constitue un terrain privilégié pour l'innovation sociale permettant d'intégrer les contraintes sociales de l'entreprise et les attentes des salariés. Il est nécessaire que l'entreprise définisse et mette en œuvre une politique dynamique et volontariste dans ce domaine et que cette politique soit cohérente dans ses différents volets d'une part, et avec les autres politiques sociales d'autre part. Cette politique doit s'intégrer dans la stratégie de l'entreprise.

## 2.2.5. OBJECTIFS DE L'A.A.T.T.

L'ordre des Experts-Comptables définit ainsi les objectifs du contrôle interne : « *Il a pour but, d'un côté, d'assurer la protection, la sauvegarde du patrimoine et la qualité de l'information, de l'autre, l'application des instructions de la direction et de favoriser l'amélioration des performances.* » Cette définition, adaptée aux spécificités de l'audit social, conduit à en identifier les principaux objectifs tant pour un auditeur interne que pour un auditeur externe :
— permettre la maîtrise des coûts sociaux ;
— garantir la qualité de l'information ;
— assurer l'application des instructions de la direction ;
— assurer l'utilisation économique et efficace de la ressource humaine.

### a) *Permettre la maîtrise des coûts sociaux*

« *Maîtrise de l'entreprise* » et « *Sauvegarde des actifs* » sont souvent mentionnés comme objectifs de contrôle interne (13). R. Vattier insiste sur l'objectif de « *pilotage social* » (14). Il précise : « *L'audit social veut nous assister pour améliorer et assurer la qualité de l'acuité de notre regard sur l'entreprise et sur les modalités de son pilotage social.* »
L'auditeur a une triple préoccupation à ce niveau :
— veiller à ce que le temps de travail soit géré avec la même attention et la même rigueur que les facteurs de production ;
— prévenir la sous-utilisation du potentiel et favoriser sa pleine mise en œuvre ;
— vérifier la cohérence entre les politiques d'A.T.T. et les stratégies financières. industrielles, commerciales.

Ceci implique en particulier une attention sur deux points :
— la détection des coûts sociaux excessifs et notamment les coûts cachés ;
— la prévention des risques sociaux, c'est-à-dire l'anticipation des problèmes futurs pour agir dès aujourd'hui à moindre coûts sur les causes afin d'en éviter l'émergence.

Deux exemples illustrent ces points :
— chez un éditeur scolaire, les expéditions augmentent de 33 % en mai, juin et juillet (avant la fermeture d'août). Chaque année l'entreprise recourt à des heures supplémentaires et à des saisonniers. L'auditeur doit chiffrer les coûts occasionnés par les heures supplémentaires et par le personnel d'appoint pendant la

---

(13) Collins, *op. cit.*, page 40.
(14) Vattier (R.), Personnel, n° 248, février 1983, page 1.

période de sur-activité et l'éventuelle utilisation de la main-d'œuvre à d'autres périodes. Il doit, également, chiffrer les coûts de la fermeture d'août. Son étude intègre les aspects commerciaux, sociaux et financiers. Le coût de non-recours à la modulation est évalué.

— dans une grande surface ouverte tard le samedi soir, un turn-over élevé de caissières était constaté. Le chiffrage du coût de ces départs et de leurs remplacements et la comparaison avec le chiffre d'affaires réalisé pendant cette plage d'ouverture conduisit à avancer l'heure de fermeture.

### b) *Garantir la qualité de l'information*

Une entreprise ne peut pas être gérée et dirigée si elle ne possède pas un système d'informations sociales satisfaisant. L'efficacité d'un système d'information tient au fait que les données sont regroupées de façon rationnelle dans les bases de données et que l'accès aux informations qu'elles contiennent s'effectue avec une grande facilité. Aujourd'hui l'informatisation de la fonction Personnel s'est généralisée et, dans la plupart des cas, l'auditeur intervient sur des bases de données sociales informatisées.

Outre les qualités habituelles requises en matière d'enregistrement des opérations, d'autorisation des opérations, de regroupement des informations, de respect des normes de diffusion de l'information, deux aspects importants en matière d'information de personnel doivent être soulignés :

— la confidentialité est une exigence essentielle ;
— la sécurité est une seconde exigence, d'autant plus importante que de nombreux utilisateurs peuvent à partir d'un terminal introduire, supprimer ou modifier des données. Il faut s'assurer que chaque opération n'entraîne ni perte ni destruction d'information. Il faut éviter que la concentration des traitements informatiques n'ait pas, en cas d'incidents, de fâcheuses conséquences sur la vie de l'entreprise (15).

### c) *Assurer l'application des instructions de la direction*

Les instructions sont communiquées sous diverses formes, écrites ou verbales, et sont souvent transmises par plusieurs relais avant de devenir opérationnelles. Elles peuvent présenter un caractère permanent, temporaire ou ponctuel.

L'auditeur porte son attention sur plusieurs points :

— l'opérationnalité de l'instruction : l'objectif est-il bien défini ? le destinataire est-il à même de la comprendre et de l'exécuter ?

---

(15) Lemoine (J.), *Pratique de la fonction personnel,* Les Éditions d'Organisation, n° 1, page 343.

— le suivi des instructions : le destinataire respecte-t-il en permanence les instructions ?
— l'efficacité des instructions : les actions entreprises par le destinataire pour respecter les instructions reçues permettent-elles d'atteindre efficacement les objectifs fixés ?

L'importance des règles applicables en matière d'A.T.T. conduit à un très large développement des manuels de procédure, des notes de service et des instructions sous diverses formes. Le rôle de l'auditeur est donc sur ce point essentiel.

### d) *Assumer l'utilisation économique ou efficace de la ressource humaine*

L'importance des frais de personnel dans la valeur ajoutée des entreprises d'une part, les écarts considérables de productivité constatés entre entreprises du même pays ou de pays différents d'autre part, conduisent à s'interroger sur l'efficacité et l'efficience de la gestion de la Ressource Humaine. L'efficacité concerne la capacité d'une organisation à atteindre le but qu'elles s'est fixé ; l'efficience est la qualité de l'organisation, ou de chacune de ses parties, qui permet d'être efficace au moindre coût. Collins note : « *La notion d'efficience prend une place accrue dans les dernières définitions de l'audit* (16). »

Cette préoccupation de productivité dans l'utilisation des ressources est également nette dans le domaine de l'A.T.T. humain. Le mouvement de réduction du temps de travail que la France et les autres pays développés ont connu depuis 15 ans renforce la nécessité d'une utilisation optimale du temps de travail des salariés. La durée de la vie active se réduit également (baisse de l'âge de la retraite, congés longue durée à des titres divers). La durée des congés payés s'élève (5e semaine en 1982), les heures non directement productives se développent (séances d'expression directe, information et communication, formation, heures de délégation...). La raréfaction du temps disponible implique la recherche de gains de productivité et la chasse aux gaspillages.

## 2.3. LA DÉMARCHE DE L'AUDITEUR

Le plan annuel ou la demande ponctuelle d'intervention fixe le cadre de la mission d'audit à réaliser. A partir de ce cadre, l'auditeur organise les moyens dont il dispose, réalise les divers travaux d'audit et rédige un rapport.

---

(16) Collins, *op. cit.*, page 45.

## 2.3.1. LE CADRE DE LA MISSION

L'ordre de mission remis à l'auditeur fixe les axes principaux de la mission, l'étendue du contrôle et la nature des investigations.

La réussite de la mission implique que son cadre soit précisément défini, l'auditeur s'attache à faire préciser les caractéristiques de la mission lors de l'entretien préalable avec le demandeur.

### a) *Axes principaux*

L'auditeur doit disposer d'une définition précise des objectifs assignés à sa mission.

Ainsi, un audit de l'introduction du temps partiel peut avoir pour objectif de s'assurer que les modalités adoptées :
— prouvent un juste équilibre entre les aspirations du personnel et l'efficacité des services ;
— réduisent le coût salarial global ;
— accroissent la flexibilité et l'adaptabilité aux fluctuations conjoncturelles.

### b) *Étendue du contrôle*

L'auditeur fait préciser les limites de sa mission et les points ou aspects exclus. Dans le cas précédent, les limites fixées peuvent porter sur :
— l'entité auditée (un établissement, un service,...) ;
— la population (employés, ouvriers, selon l'âge, le sexe, la formation,...) ;
— les objectifs ; par exemple, les aspirations du personnel à prendre en compte sont exclusivement celles recueillies dans le cadre des réunions de l'expression directe des salariés ou bien, celles exprimées par les instances représentatives lors des différents dialogues échangés sur l'A.T.T.

### c) *Les méthodes et les moyens*

L'ordre de mission doit préciser les méthodes et moyens d'investigation. Dans le cas précédent, les personnes susceptibles d'être interrogées par l'auditeur (personnel d'exécution, encadrement, représentant du personnel...) doivent être spécifiquement mentionnées, voire dénommées. La faculté d'utiliser ou non des questionnaires d'enquête sera spécifiée.

## 2.3.2. L'ENQUÊTE PRÉLIMINAIRE

Toute mission d'audit impose une enquête préliminaire destinée à familiariser l'auditeur avec l'organisation concernée et le problème à traiter.

Les modalités et les procédures qui régissent l'A.T.T. dans l'unité étudiée dépendent de contraintes internes et externes, des choix déjà effectués et du poids des pratiques antérieures. L'auditeur identifie les spécificités technologiques, commerciales, économiques et financières qui construisent l'A.T.T.

Il porte une attention particulière au phénomène de saisonnalité, aux process de fabrication, aux exigences des clientèles, aux durées d'utilisation des équipements matériels.

Cet aspect de l'enquête préliminaire, qui précise les particularismes et fixe les enjeux, est primordial pour la fiabilité du diagnostic et la pertinence des recommandations. L'auditeur analyse et dégage les caractéristiques des personnels impliqués (sexe, âge, ancienneté, formation, nationalité, situation de famille, état de santé) ; en effet leurs aspirations et donc leurs attitudes en matière d'A.T.T en sont le reflet logique.

L'auditeur apporte ainsi un soin particulier à la lecture des bilans sociaux qui apportent des informations pertinentes sur les personnels et leurs comportements.

L'auditeur dégage les axes principaux de la politique sociale de l'entreprise. Brochures d'accueil, rapports sociaux, plaquettes, journaux d'entreprise, entretiens avec la direction des ressources humaines, en sont les sources principales.

L'auditeur dresse l'inventaire des règles applicables aux aménagements à étudier. Cet inventaire est particulièrement important lorsqu'il s'agit d'un audit de conformité. L'enquête préliminaire ainsi élaborée permet de sélectionner les points significatifs sur lesquels la mission d'audit doit être centrée.

## 2.3.3. ÉTABLISSEMENT DU PROGRAMME

A partir du cadre défini par l'ordre de mission et du résultat de l'enquête préliminaire, l'auditeur adopte un programme de travail.
Celui-ci précise :
— les personnes à contacter ;
— les constatations matérielles à effectuer ;
— les documents à utiliser;
— la chronologie détaillée des interventions ;
— le budget temps ;

## 2.3.4. LES TRAVAUX

Conformément au programme arrêté, l'auditeur réalise les travaux d'audit, dont les plus fréquents sont présentés au paragraphe 24.

### 2.3.4. LE RAPPORT D'AUDIT

Le rapport d'audit constitue l'élément clé de la réussite de la mission ; il comporte, en général, trois parties :
— les réalisations (travaux effectués et constatations) ;
— l'opinion (jugement professionnel) formulée par l'auditeur ;
— les recommandations.

La qualité d'une intervention d'A.A.T.T. apparaît à travers la pertinence et la faisabilité des préconisations.

## 2.4. LES PRINCIPAUX TRAVAUX

La diversité des missions explique la variété des travaux à effectuer.

### a) *Analyse par diagramme ou flow-chart*

Une représentation graphique (à l'aide de symboles normalisés, adaptés par les auditeurs) permet de formaliser les procédures utilisées dans le module, l'entité auditée (17).

Le diagramme fait l'économie des descriptions littéraires et favorise la communication avec les audités, améliore la productivité de l'audit en permettant, bien souvent, de déceler les faiblesses du contrôle interne et d'identifier les principaux points à examiner de près.

### b) *Le questionnaire*

Pour mener à bien la collecte des informations, l'auditeur utilise une batterie de questions. La forme du questionnaire dépend des objectifs et du programme de la mission (18).

### c) *L'enquête d'opinion*

L'importance des attentes des salariés en matière d'A.T.T. et de leur perception des systèmes d'organisation a été soulignée dans le chapitre I, paragraphe 14.

Le recours à des enquêtes d'opinion internes est souvent nécessaire, non seulement pour la mise en œuvre d'A.T.T., mais encore pour leurs évaluations.

Les enquêtes d'opinion font l'objet de techniques particulières

---

(17) Peretti (J.-M.), *Audit Social, op. cit.*, p. 59.
(18) Peretti (J.-M.), *Audit Social, op. cit.*, page 60.

en matière d'audit social et sont présentées dans « *Audit Social* », *pages 117 à 134* (19).

### d) *Le traitement des comptes rendus*

Les dialogues sur l'A.T.T. (cf. § 15) avec les représentants du personnel laissent un certain nombre de traces écrites dont l'exploitation s'impose dans la plupart des missions d'A.A.T.T. Depuis 1982, les comptes rendus des groupes d'expression directe des salariés peuvent constituer une source de renseignements.

---

(19) Peretti (J.-M.), *Audit Social, op. cit.*, pages 117-134.

# CHAPITRE III

# L'AUDIT DE CONFORMITÉ

Les missions d'audit de conformité de l'A.T.T. ont trois objectifs :
— garantir la qualité des informations ;
— assurer le respect de la réglementation applicable ;
— vérifier l'application des procédures internes.

Le temps de travail est enserré dans un ensemble complexe de textes légaux, réglementaires, de conventions, de procédures internes applicables aux salariés selon leurs spécificités individuelles, passagères ou permanentes.

Après avoir recueilli l'information sur les variables à prendre en compte dans l'aménagement du temps de travail, les spécificités des salariés et les durées de travail (§ 3.1.), l'auditeur examine le respect de la réglementation en matière de durées journalière et hebdomadaire, de repos hebdomadaire, d'horaires autorisés (§ 3.2.), la possibilité de recours aux heures supplémentaires (§ 3.3.), ainsi que des dispositions sur les interruptions d'activité (§ 3.4.) (les congés annuels, les jours fériés, et les absences sous toutes leurs formes volontaires ou non).

Depuis les textes de 1982, la multiplicité des missions en matière d'A.T.T. des représentants du personnel (C.E., section syndicale, C.H.S.C.H.T...) au sein des entreprises, exigent l'audit des dialogues avec les partenaires sociaux (§ 3.5.) et l'audit des heures de délégation (§ 3.6.).

## 3.1. L'INFORMATION SUR LES VARIABLES

La première tâche de l'auditeur est d'identifier et de classer les différentes spécificités des salariés ayant des conséquences réglementaires, par exemple :
— le sexe et le travail de nuit des femmes... ;

- l'âge et l'horaire de travail des mineurs, des préretraités... ;
- le contrat de travail et les modalités tels que : apprentissage, stages, temps partiel, saisonnier... ;
- la catégorie professionnelle et les horaires spécifiques : horaires des cadres, V.R.P... ;
- l'état de santé (femmes enceintes, convalescents, accidentés du travail...) et les affectations de poste ;
- l'activité civique extérieure et leurs conséquences : congés des députés, absences des conseillers municipaux, jurés, service national... ;
- l'activité sociale et ses répercussions : congés pour animateurs de la jeunesse, congés pour formation, congés d'éducation ouvrière... ;
- l'activité représentative interne et l'usage d'heures de délégations des représentants du personnel... ;
- les métiers particuliers, par exemple : horaires des chauffeurs, ouvriers sur feux continus, hôtellerie, bâtiment... ;
- le statut provisoire des salariés avec, par exemple, les congés de formation, sabbatique, création d'entreprise...

Pour réunir les informations l'auditeur aura recours à diverses sources : Bilan Social, documents réglementaires, fichiers du personnel.

### 3.1.1. L'INFORMATION EN MATIÈRE DE TEMPS DE TRAVAIL

a) *Les documents obligatoires*

- Le registre du personnel.
  Ce registre unique remplace les anciens registres des entrées et sorties, des jeunes de moins de 18 ans et des étrangers. Dans ce registre, figurent, dans l'ordre d'embauchage, le nom et prénoms de tous les salariés occupés dans l'établissement à quelque titre que ce soit.
- Le livre de paye.
- Les documents permettant de comptabiliser les heures de travail effectuées par chaque salarié payé à l'heure (code du travail, article L.611.9 nouveau alinéa 2).
- Le registre du repos hebdomadaire, dans les établissements où le repos hebdomadaire n'est pas donné collectivement à tout le personnel.
- Les documents peuvent être remplacés par des supports informatiques, après accord des directeurs régionaux du travail et de l'emploi.

b) *Les affichages obligatoires*

Dans chaque établissement doivent être affichés :

— les heures auxquelles commence et finit le travail, ainsi que les heures et la durée du repos (code du travail, article L. 620.2. nouveau) ;
— les informations concernant les congés payés ;
— le règlement intérieur.

#### c) *Le Bilan Social*

Le Bilan Social (secteur industriel et agricole) propose, en particulier, les rubriques suivantes :

I. Emploi :
   11. Effectifs — 12. Travailleurs extérieurs — 13. Embauches — 14. Départs — 15. Chômage — 16. Handicapés — 17. Absentéisme.
III. Conditions d'hygiène et de sécurité :
   31. Accidents de travail et de trajet.
IV. Autres conditions de travail :
   41. Durée et A.T.T. — 42. Organisation et contenu du travail — 44. Transformation de l'organisation du travail — 46. Médecine du travail — 47. Travailleurs inadaptés.
V. Formation :
   513. Nombre de stagiaires — 514. Nombre d'heures — 52. Congé formation — 53. Apprentissage.
VI. Relations professionnelles :
   612. Volume global de crédit d'heures — 615. Nombre de bénéficiaires de congés d'éducation ouvrière.

J.-M. Peretti, dans *« une démarche de lecture et d'analyse du Bilan Social »*, propose la création des ratios construits à partir d'indicateurs du Bilan Social (1).

#### d) *Les diverses statistiques sur le travail*

Le service des études et de la statistique du ministère du Travail réalise des enquêtes sur les conditions de travail et, en particulier, sur les horaires et A.T.T. des salariés. L'enquête de mars 1984 est disponible.

Ajoutées aux études de l'A.N.A.C.T. et des groupes spécialisés des syndicats patronaux ou ouvriers, ces statistiques permettent à l'auditeur de faire des analyses comparatives entre l'organisation auditée et la branche, la nation, à partir de données croisées sur les A.T.T. selon : le sexe, l'âge, la nationalité, la branche, la catégorie socio-professionnelle, les statuts du contrat de travail, etc.

---

(1) PERETTI (J.-M.). Liaisons sociales. déc. 1981. *Le Bilan social,* pages 60-86.

### 3.1.2. LA MESURE DES TEMPS ET DES PRÉSENCES

Avec le développement technologique actuel, où la force physique du travailleur et sa force mentale de stockage et de traitement des informations sont assistées voire remplacées par les machines, le temps passé au travail par le salarié n'est pas assimilable au temps réel de travail.

Lors des négociations sur la durée du travail, émerge, de plus en plus, la notion de mesure de la productivité comme unité de mesure du travail.

A cette mutation de la finalité de la mesure du temps s'ajoutent des difficultés spécifiques pour la mesure du temps de travail, en termes de présences et d'absences.

L'absentéisme mesurable dans les ateliers et bureaux, où le pointage des personnels est possible, est plus difficile à appréhender dans les entreprises ou les assimilés cadres et les cadres sont nombreux (ceux-ci étant, normalement, exempts du pointage).

La durée affichée du temps de travail est, de l'avis même des acteurs sociaux, une notion symbolique. La durée du temps passée au travail pour les salariés, et le temps productif de travail pour l'employeur sont des valeurs plus significatives.

La généralisation de la mensualisation, le développement du temps partiel, des heures consacrées à l'information, à l'expression directe, à la formation, les crédits d'heures des représentants du personnel, les absences spécifiques, entraînent des difficultés pour fixer aux temps de travail des mesures fiables, précises, repérables, comparables.

Si le temps est mesurable, physiquement, à la pico-seconde près, il est fortement influencé, dans son appréhension mentale, par les rythmes des saisons, des cycles journaliers, et de notre horloge interne.

Le temps est modulé par l'intensité ressentie, vécue, consciemment ou non par les individus, selon leur sexe, leur âge, leur éducation... Et chaque vécu recouvre des appréciations spécifiques, une heure d'O.S. sur machine ne peut être comparée à une heure de V.R.P.

Pour répondre aux exigences de la gestion, les négociateurs sociaux utilisent la durée annuelle, distinguent la durée effective du travail et les présences sur le lieu du travail.

#### a) *Vers l'annualisation des mesures*

Deux concepts nouveaux pour la mesure du temps de travail sont retenus :

la D.A.O. et la D.A.E.

D.A.O.  durée annuelle effectivement offerte, tenant compte des heures supplémentaires et du chômage partiel mais non de l'absentéisme et des jours fériés.

**D.A.E.** durée annuelle effective, égale à la précédente diminuée de l'absentéisme pour tous les motifs.

La durée hebdomadaire n'est plus définie dans un concept de durée réelle, mais plutôt de repère ou modèle. Aussi les négociations interprofessionnelles de 1984-1985, en France, traitent de la Durée annuelle (D.A.).

L'accord national du B.T.P. sur la durée et l'aménagement du temps de travail du 28 juin 1985 définit « *un volume annuel d'heures de travail effectif individuel, c'est-à-dire non majorées au sens de la législation sur les heures supplémentaires* ». Il est de 1 770 heures dans l'année civile.

### b) *Durée de présence et durée effective*

Depuis 1981, les négociations sur les durées du travail tendent à prendre en compte les durées effectives, c'est-à-dire effectivement travaillées en excluant les pauses individuelles, collectives et les absences, et non plus la durée de présence.

On doit, par conséquent, dans toute étude de temps de travail, bien définir les temps. Par exemple :
— temps payés, productifs, effectifs,
— temps de présence, passé au travail, passé du fait du travail,
— temps contractuel affiché,
— temps contraint (comprenant les temps de déplacement),
— temps induit (c'est-à-dire passé pour la vie professionnelle = formation hors entreprise, lectures, congés spécifiques, etc.)

### c) *Les méthodes de mesure*

L'individualisation, de plus en plus répandue de la D.T.T. (horaires divers et spécifiques, sujétions contractuelles variées), entraîne la nécessité d'une mesure sans cesse plus rigoureuse, tant au niveau individuel que collectif. Cette mesure est rendue difficile à mettre en pratique par la réticence des salariés à admettre le contrôle de leur D.T.T.

> Dans son enquête sur l'A.T.T., le ministère du Travail a choisi quatre catégories de contrôles d'horaires :
> « *Il était difficile, à priori, de constituer une liste convenable des divers modèles de contrôles d'horaires : les systèmes sont en fait très variés, tant sur le plan technique que sur celui de l'organisation des responsabilités en la matière.*
> *Nous avons finalement choisi de classer les salariés en quatre catégories :*
> — *ceux qui ne sont soumis à aucun contrôle ;*
> — *ceux qui ont à pointer, sur une horloge pointeuse, ou sont*

> soumis à un quelconque contrôle automatique (par exemple : badges, portes à fermetures automatiques, retard signalé par un système sonore ou lumineux) ;
> — ceux qui doivent remplir une feuille de signature ou une fiche d'horaires, ou sont soumis à d'autres systèmes de contrôle non automatiques (systèmes qui peuvent donc être un peu plus souples que les précédents) ;
> — ceux dont les horaires sont contrôlés par l'encadrement, sans systèmes précis prévus à cet effet. »

L'auditeur doit examiner les différentes formes de contrôle, à posteriori et à priori, les perturbations de la D.T.T : pauses, absences et, enfin, connaître les méthodes d'appréciation qualitatives et subjectives de la D.T.T. par les salariés eux-mêmes.

### d) Les mesures quantitatives de la D.T.T.

Deux méthodes de contrôle du temps de travail peuvent être appliquées :
— le contrôle a priori
— le contrôle a posteriori

• Le contrôle a priori

Les temps de production (selon les méthodes nées du taylorisme) peuvent être prescrits, programmés, planifiés.

Par contre, les temps de travail dans les services d'entretien, les services administratifs sont plus difficilement prévus, bien que, des « normes », des « estimations forfaitaires » puissent être utilisées.

• Le contrôle a posteriori

C'est la méthode classique des fiches de travail dans les ateliers, les fiches de réparation, entretien, les comptes rendus d'activité, les feuilles de route, les mouchards pour les véhicules, etc.

Dans les usages des ateliers de production, le « pointeau » enregistre quotidiennement les absences par individu avec motifs, durées, etc.

Ces données sont gérées par le service du personnel. Dans de nombreuses entreprises, les salariés « pointent » ou « badgent » avec le concours d'une machine horaire (carte de pointage, badge horaire, etc.).

Parfois, les chefs de service « pointent » leurs subordonnés. Bien entendu, dans de nombreuses organisations, le contrôle de la D.T.T. de l'encadrement est peu pratiqué. En général, les cadres, depuis les premières conventions collectives ne pointent pas et ne sont pas rémunérés pour les heures supplémentaires.

e) *Les mesures qualitatives de la D.T.T.*

Si le contrat de travail indique une durée quantitative de travail à fournir par le salarié, ce dernier, par contre, ressent plus la durée sous la forme subjective, qualitative de « *densité* », « *fatigabilité* », « *rythme* ».

Aussi, dans le domaine de l'audit, ce caractère qualitatif ne devra pas être occulté, car il est nécessaire à l'étude des attentes des politiques, des climats.

Deux exemples d'analyse qualitative sont fournis par des études de l'A.N.A.C.T. :

1) Dans son ouvrage : « *Conditions de travail — mode d'emploi* » (2), *l'A.N.A.C.T. préconise le questionnaire suivant :*

Tableau 12

**Questionnaire guide**

| QUESTIONNAIRE GUIDE | | CHAMP D'INVESTIGATION : B POSTE DE TRAVAIL | 3 A/2 B |
|---|---|---|---|
| DATE mois   année | Évaluateur (fonction) | SECTEUR OBSERVÉ : | POIDS GLOBAL : |
| Code | Questions | Réponses | |

| Code | Questions | Réponses | | |
|---|---|---|---|---|
| B 9 B 9.1 | TEMPS DE TRAVAIL Les plages de temps de travail imposées par le processus ou par l'organisation (travail en équipes, horaires...) sont considérées comme plutôt : | Bonnes | Sans impor-tance | Contrai-gnantes |
| B 9.2 | Quelle impression un examen attentif du poste donne-t-elle quant aux efforts faits pour dimi-nuer les contraintes imposées par les horaires particuliers ? | Bons | Pas* d'inf. cert. | Aucun |
| B 9.3 | Constate-t-on, sur le poste, des résultats négatifs répétés (acci-dents, erreurs techniques, absen-téisme, conflits) liés de manière probable à l'horaire de travail ? | Non | Pas* d'inf. cert. | Oui |

\* *Pas d'information certaine.*

---

(2) A.N.A.C.T. *Conditions de travail mode d'emploi* 1985, page 81.

L'analyste construit, pour l'étude spécifique d'un atelier, d'un service, un cadre particulier de questions (ex. : B 9 — B 9.1) qui permettent à l'évaluateur de donner un poids spécifique à la contrainte temps de travail dans le calcul global des contraintes qui pèsent sur un poste de travail « X ».

2) Dans sa publication « *Pour une évaluation ergonomique* » (3) et en particulier pour l'évaluation des conditions de travail d'un poste « Y », l'A.N.A.C.T. a proposé un questionnaire comprenant la question :

« *Vous disposez au cours des 8 heures de travail d'un certain temps de pause : pauses officielles et pause que votre travail vous permet de prendre à votre initiative. Pouvez-vous porter un jugement sur ce temps de pause en fonction de sa capacité à réduire la fatigue physique, mentale ou nerveuse qu'entraîne votre travail ?* »

et à la suite de laquelle, par entretien individuel ou collectif, est établie une échelle d'opinion ordinale ainsi conçue :

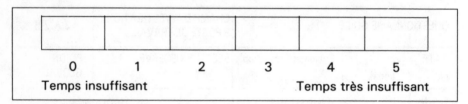

### f) *Mesures de l'absentéisme*

Si l'absentéisme peut être observé et comparé sur des données importantes d'heures, il faut être très méfiant pour des comparaisons entre ateliers ou services à personnel réduit et grande activité.

Comparer une entreprise de mille personnes avec une branche professionnelle est réaliste, comparer un atelier de cinquante personnes avec une branche professionnelle est non significatif.

Devant le développement du nombre de salariés appartenant à la catégorie agents de maîtrise et cadres, l'analyse de l'absentéisme devient très délicate puisque ceux-ci sont souvent « *juges et parties* ».

### g) *Précautions à prendre pour la mesure des D.T.T.*

Les indicateurs quantitatifs, les échelles d'appréciation qualitatives n'ont de valeur de comparaison (de calcul de coûts, d'avantages, dysfonctionnement) que s'ils concernent des individus, ou groupe d'individus, identiques sinon similaires, et que si des anomalies caractéristiques (grève, intempéries, forte population de jeunes femmes, etc.) sont évacuées des calculs.

---

(3) A.N.A.C.T. *Pour une évaluation ergonomique* 1982.

De plus, tout indicateur social ne peut être utilisé valablement que s'il est comparé dans le temps, mois par mois, année par année, ou avec des unités représentatives, service par service, atelier par atelier, branche par branche, etc.

En outre, il est indispensable, pour déjouer des notations biaisées de la D.T.T., de vérifier si les pointeurs ont agi avec objectivité et impartialité, et ont utilisé des modes de calcul identiques.

La construction et le choix d'outils d'analyse, et de méthodes de mesure des temps de travail est la première tâche de l'auditeur.

### h) *Traitement des durées des temps de travail par progiciels*

Le développement de l'informatisation de la gestion du personnel et, tout particulièrement, de la paye a incité les producteurs de logiciels à proposer des progiciels spécialisés dans la gestion, l'analyse statistique et prévisionnelle, des temps d'activité par nature et des causes de l'absentéisme.

L'auditeur doit adapter ses outils afin d'avoir la capacité d'exploiter toute l'information disponible. Les procédés classiques d'analyse doivent être renforcés par des outils informatiques. L'auditeur fait appel à des programmes de traitement de données pour utiliser cette information et enrichir ses contrôles.

## 3.2. HORAIRES ET DURÉE DU TRAVAIL ET REPOS HEBDOMADAIRE

Depuis 1841, la durée du travail et le repos hebdomadaire sont enserrés dans un cadre réglementaire complexe et précis que des dérogations légales ou conventionnelles peuvent, toutefois, aménager (§ 3.2.1.)

Après avoir dressé l'inventaire des règles applicables (§ 3.2.2.) à l'entité étudiée (société, établissement, atelier, site), l'auditeur vérifiera leur application globalement (§ 3.2.3.) ou ponctuellement (§ 3.2.4.).

### 3.2.1. LE CADRE RÉGLEMENTAIRE

Le cadre réglementaire répond aux trois principes suivants :
1) La loi (code du travail — article L.212.R.212) limite à 39 heures par semaine la durée légale du travail effectif des salariés.
2) L'aménagement des horaires est une prérogative de l'employeur (sous réserve d'une consultation préalable du comité d'entreprise, à défaut des délégués du personnel, avec communication à l'inspection du travail).

3) Le temps de travail est l'objet d'une négociation permanente au sein de l'entreprise dont la loi du 28.2.86 définit certaines modalités (cf. § 1.5.).

La réglementation dégage des notions polysémiques sur la durée :

1) La durée légale hebdomadaire est de 39 heures réparties sur 4 à 6 jours.

2) La durée maximale quotidienne de travail effectif ne peut excéder 10 heures.

3) La durée maximale hebdomadaire moyenne, calculée sur une période quelconque de 12 semaines consécutives, ne peut dépasser 46 heures.

4) La durée maximale hebdomadaire absolue, fixée à 48 heures, peut atteindre, à titre exceptionnel, 60 heures.

5) Le repos hebdomadaire doit être donné le dimanche.

Certaines catégories particulières de salariés sont protégées réglementairement :
- les jeunes salariés (16/18 ans), les apprentis (15/20 ans) :
  — durée maximale journalière 8 heures ;
  — durée hebdomadaire maximale 39 heures ;
  — travail de nuit entre 22 heures et 6 heures interdit si âgés de moins de 18 ans ;
  — travail par relais interdit.
- les femmes :
  — travail de nuit entre 22 heures et 5 heures interdit ; (néanmoins, cette interdiction ne s'applique pas « aux femmes occupées dans le service de l'hygiène et du bien-être n'effectuant pas normalement un travail manuel »).
  — travail par relais interdit.
- travailleurs en équipes successives :
  — la durée du travail pour le salarié en équipes successives ne doit pas être supérieure, en moyenne sur un an, à 35 heures par semaine travaillée (ordonnance du 16.01.1982, article 26) ;
  — en principe, le doublage des postes est interdit ;
  — l'horaire avec composition nominative des équipes est obligatoirement affiché.
- travailleurs à temps partiel (code du travail L.212.4.2) :
  — les horaires sont inférieurs d'au moins un cinquième à la durée légale conventionnelle ;
  — les durées hebdomadaires ou mensuelles doivent être fixées dans le contrat de travail ;
  — les heures complémentaires sont réglementées et ne peuvent être supérieures au tiers de la durée prévue au contrat ;

— les heures complémentaires sont rémunérées au niveau normal ;
— lorsque, pendant 12 semaines, les heures complémentaires allongent d'au moins deux heures la durée moyenne de travail, le contrat est modifié selon les nouveaux horaires, après préavis de 7 jours de l'employeur et accord de l'employé.

Les principes généraux peuvent être assouplis soit par des dérogations légales soit par des accords collectifs ou d'établissement ou de site (soumis à l'avis du comité d'entreprise). En particulier la loi du 21 juin 1936 a, dans ses décrets d'application prévu des « heures d'équivalence » à la durée légale de 40 heures (aujourd'hui 39 heures). Ainsi pour les salariés des hôpitaux la durée est de 43 heures, pour les coiffeurs de 43 à 50 heures, etc.

Dans chaque entité de travail, l'horaire de travail précise, pour l'ensemble du personnel concerné, les heures du début et de la fin de la journée de travail et la répartition des heures dans la semaine.

Cet horaire est la base du corps de règles affectant la durée du temps de travail.

### 3.2.2. INVENTAIRE DES RÈGLES APPLICABLES

Les missions d'audit de conformité portant sur les horaires, la durée du travail et le repos hebdomadaire peuvent être générales (vérifier l'application de l'ensemble de la réglementation, par exemple), ou ne porter que sur un point particulier.

Dans les deux cas l'auditeur doit, dans un premier temps, identifier les règles légales, réglementaires, conventionnelles ou internes applicables.

Un exemple illustre cette première étape : l'audit des horaires individualisés. Une entreprise ayant plusieurs établissements répartis sur tout le territoire confie à un auditeur externe la mission suivante : « les pratiques appliquées dans les établissements sont-elles conformes à la réglementation en vigueur » ?

L'auditeur rassemble l'ensemble des dispositions applicables :
— dispositions légales (article L.212.4.1 du code du travail) ;
— dispositions réglementaires (article D.212.4.1 et D.212.4.2 du code du travail — décrets du 26 février et du 29 juin 1982) ;
— dispositions conventionnelles (existe-t-il une convention, un accord collectif étendu, un accord d'entreprise ou d'établissement contenant des dispositions applicables, un report d'heures d'une semaine sur l'autre ?) ;
— dispositions internes édictées par l'employeur dans chacun des établissements.

A partir de l'identification des règles applicables, l'auditeur éla-

bore son questionnaire. Dans l'exemple le questionnaire portera sur :
— l'introduction des horaires individualisés ;
— le report d'heures d'une semaine à l'autre ;
— les dispositions internes.

### 3.2.3. MISSION D'AUDIT GLOBAL

Lorsque la mission porte sur l'ensemble de la réglementation, l'auditeur procède aux recherches suivantes :
— classement ou non de l'entité de travail dans une catégorie définie par les décrets d'application de la loi du 21 juin 1936 ;
— détermination des dispositions d'une convention, d'un accord collectif étendu ou d'un accord d'entreprise ou d'établissement... ;
— détermination des textes préfectoraux applicables, sur la durée du travail et le repos dominical ;
— identification des dispositions légales et conventionnelles ;
— affichage de l'horaire dans chacun des locaux où il s'applique ;
— avis des représentants du personnel, par exemple : pour la pratique de la semaine de quatre jours ;
— accord, et vérification du procès-verbal en cas d'horaires individualisés.

L'auditeur procède à l'étude détaillée de la conformité des règles pour chacune des solutions adoptées en matière d'A.T.T. :
— modulation des horaires ;
— travail posté ;
— temps partiel ;
— horaires individualisés.

Depuis les textes de 1982, la durée du travail, partie intégrante des conditions de travail, fait l'objet de négociations obligatoires ou non et fait partie du champ de l'expression directe des salariés.

L'auditeur se fait communiquer l'ensemble des rapports (C.E., C.H.S.C.T.), des accords (délégués syndicaux), des réclamations (délégués du personnel), des suggestions des groupes d'expression et des notes internes émanant de l'employeur, ainsi que des contrats de travail de chaque catégorie professionnelle.

Leur examen est complété par l'étude des conséquences du dépassement des horaires normaux et du repos hebdomadaire atypiques en examinant les heures supplémentaires et leurs compensations par les repos compensateurs et les surcroîts de salaire (cf. § 3.4.).

Enfin, l'auditeur établit une étude de rapprochement entre horaires travaillés et horaires payés, d'après les documents de la paye établis à partir des fiches de travail ou des fiches hebdomadaires internes de la paye.

L'examen de conformité peut être complété par enquête auprès du personnel et de la hiérarchie pour déceler les différences rencontrées dans l'application des règles.

L'auditeur établit une grille des points à examiner. A l'issue de l'enquête préliminaire il détermine, point par point, le nombre des vérifications à effectuer pour asseoir son opinion.

Tableau 13

**Le document suivant est extrait d'un programme de travail**

| | Nombre de constatations | | Résultat | | Commentaires |
|---|---|---|---|---|---|
| | A faire | Faites | Positif | Négatif | |
| **A) Consultation ou information des instances représentatives du personnel ..** | | | | | |
| — Consultation du Comité d'Entreprise ou des délégués du personnel en cas d'augmentation de la durée hebdomadaire du travail ...... | | | | | |
| Procès-verbaux de réunion | | | | | |
| — Information du Comité d'Entreprise ou des délégués du personnel en cas de diminution de la durée hebdomadaire du travail ......... | | | | | |
| Procès-verbaux de réunion | | | | | |
| — En cas de changement dans la répartition de l'horaire hebdomadaire | | | | | |
| Procès-verbaux de réunion | | | | | |
| **B) Information collective des salariés :** | | | | | |
| Affichage de l'horaire hebdomadaire du travail dans chacun des lieux de travail ......... | | | | | |
| Information datée et signée de la direction responsable de l'établissement ........... | | | | | |

| | Nombre de constatations | | Résultat | | Commen-taires |
|---|---|---|---|---|---|
| | A faire | Faites | Positif | Négatif | |
| Affichage comportant la répartition de l'horaire hebdomadaire du travail par secteur d'activité .......... | | | | | |
| **C) Horaire collectif pratiqué dans l'établissement** | | | | | |
| L'horaire est identique pour tout le personnel de l'établissement ? ......... | | | | | |
| Dans l'affirmative quel est l'horaire hebdomadaire de travail ? ........... | | | | | |
| L'horaire hebdomadaire de travail varie selon les services (préciser) ? ....... | | | | | |
| un accord de réduction d'horaire existe-t-il dans la profession ou dans l'activité ? ............. | | | | | |
| Dans l'affirmative, cet accord de réduction d'horaire a-t-il reçu application dans les établissements ? ........... | | | | | |
| En vertu de cet accord de réduction d'horaire, quel horaire hebdomadaire doit appliquer l'établissement ? | | | | | |
| La perte résultant normalement de cette réduction de l'horaire a-t-elle donné lieu à compensation ? ...... | | | | | |

### 3.2.4. MISSIONS PONCTUELLES

L'importance de certains points justifie parfois des missions ponctuelles.

Ainsi, dans le cas de la mission évoquée plus haut, l'audit, dans plusieurs établissements, des horaires individualisés nécessite un questionnaire spécifique.

Dans chaque établissement disposant d'une représentation du personnel, l'auditeur utilise le questionnaire suivant :

78

Tableau 14

| Introduction des horaires individualisés | Oui | Non | Commentaires |
|---|---|---|---|
| Une demande de certains travailleurs avait-elle été exprimée ? . . . . . . . . . . | | | |
| La représentation du personnel a-t-elle été consultée ? (C.E./D.P.)* . . . . . . . . | | | |
| Un avis conforme a-t-il été émis ? . . . . . | | | |
| Un procès-verbal de la réunion a-t-il été établi ? . . . . . . . . . . . . . . . . . . . . | | | |
| L'inspecteur du travail a-t-il été informé ? . . . . . . . . . . . . . . . . . . . | | | |
| Cette information a-t-elle été préalable à l'introduction des horaires individualisés ? . . . . . . . . . . . . . . . . . . . . . | | | |
| Les modalités d'application de la formule ont-elles fait l'objet d'un accord d'entreprise ? d'un accord d'établissement ? . . | | | |

\* *Rayer la mention inutile.*

| Modalités de report | Oui | Non | Commentaires |
|---|---|---|---|
| Existe-t-il des dispositions concernant les reports d'heure dans : <br>— une convention ou un accord collectif étendu ? . . . . . . . . . . . . . . . . <br>— un accord d'entreprise ? . . . . . . . . . <br>— un accord d'établissement ? . . . . . . | | | |
| L'accord d'entreprise a-t-il fait l'objet d'une opposition ? . . . . . . . . . . . . . . | | | |
| Le report d'une semaine à une autre excède-t-il trois heures ? ou dispositions conventionnelles ? . . . . . . . . . . . . . . | | | |
| Le cumul des heures peut-il porter le total des heures reportées à plus de 10 ? . . . . | | | |

A l'issue de ses investigations l'auditeur formule son opinion. Dans le cas précédent, cette opinion peut être la suivante :

*L'introduction des horaires individualisés dans les établissements qui les pratiquent est conforme à la réglementation en vigueur. En l'absence de dispositions conventionnelles applicables, dans les établissements examinés, les reports d'une semaine sur l'autre ne peuvent excéder trois heures et le total des heures repor-*

*tées ne peut dépasser dix heures. Or, dans deux des huit établissements, les modalités retenues dépassent les limites. Il est donc nécessaire, soit de modifier les modalités de report, soit de faire adopter ces modalités par voie conventionnelle.*

## 3.3. LES HEURES SUPPLÉMENTAIRES

Les missions d'audit, sur ce point, sont fréquentes. En effet, le cadre réglementaire est complexe et contraignant, les dispositions conventionnelles sont nombreuses et les modifications de 1982 impliquent une modification substantielle des pratiques. Il s'agit de vérifier la conformité des pratiques de recours aux heures supplémentaires avec les règles légales, conventionnelles et internes à l'entreprise ou au service.

Dans une première étape, l'auditeur doit identifier les règles applicables (§ 3.3.1.) pour répondre à deux questions :
— les procédures internes sont-elles conformes à la réglementation ? (§ 3.3.2.)
— les procédures internes sont-elles respectées ? (§ 3.3.3.)

### 3.3.1. IDENTIFICATION DES RÈGLES APPLICABLES

Il entre dans les prérogatives de l'employeur de décider le recours à des heures supplémentaires, les instances représentatives ayant un rôle consultatif. L'ordonnance du 16 janvier 1982 a institué un contingent annuel libre. Ce contingent est fixé par le décret du 27 janvier 1982 à cent trente heures par année civile et salariée. La Loi du 28.02.86 ramène à 80 heures ce contingent lorsqu'il y a convention ou accord collectif pour des modulations de durées moyennes hebdomadaires de 37 1/2 heures ou 38 heures. D'autres décrets ont fixé des contingents plus élevés dans certaines branches. Un contingent inférieur peut être déterminé par un accord collectif au niveau national de la branche d'activité. L'auditeur doit rechercher le contingent applicable. Au-delà, les heures supplémentaires sont soumises au régime de l'autorisation préalable par l'inspection du travail. L'avis du Comité d'entreprise est requis. S'agissant du contingent librement utilisable, une consultation annuelle du Comité d'entreprise doit être organisée à défaut d'accord collectif. Le salarié est tenu d'exécuter les heures supplémentaires décidées par l'employeur. Son refus a été considéré par la jurisprudence comme une cause réelle et sérieuse de licenciement.

La loi a prévu des majorations minimales de salaires (25 % pour les huit premières heures, 50 % au-delà), mais ne précise pas le salaire de base à retenir pour le calcul. Une circulaire (18 avril 1946) fixe la position administrative sur les primes inhérentes à la nature du travail (incluses) et les non inhérentes (exclues). La jurisprudence a été amenée à définir et appliquer des critères complémentaires. La jurisprudence a également reconnu la validité des modes de rémunération forfaitaire. La loi accorde un repos compensateur pour les salariés qui ont accompli des heures supplémentaires au-delà d'un seuil de quarante-deux heures hebdomadaires. Dans la limite du contingent libre, le repos compensateur est égal à 20 % en temps de travail au nombre d'heures prises en compte.

Les heures accomplies au-delà du contingent ouvrent un droit égal à 50 % des heures dès la quarantième. Les modalités d'octroi du repos sont fixées par voie d'accords collectifs ou, à titre subsidiaire, par le décret du 10 août 1976.

En matière de rémunération comme de repos compensateur, des dispositions conventionnelles peuvent aller au-delà des minima prévus par la loi.

Compte tenu de l'incidence des heures supplémentaires sur les coûts, le recours est généralement réglementé strictement par des instructions propres à l'entreprise. L'auditeur doit rechercher l'ensemble des règles applicables, y compris celles adoptées par l'entreprise ou le responsable de l'entité.

### 3.3.2. LA CONFORMITÉ DES PROCÉDURES INTERNES

L'auditeur vérifie que les procédures internes permettent de respecter les dispositions des articles L.212.5.s., R.212.2.s., D.212.5.s. du code du travail. Son examen porte, en particulier, sur quatre points :

#### a) *La décision de recours*

Les procédures internes garantissent-elles la conformité de la décision de recours avec les dispositions des articles L.212.6. (contingent annuel), L.212.7. (H.S. au-delà du contingent), R.212.3.s. (dérogations à la durée maximale hebdomadaire moyenne), R.212.11.s. (autorisation des H.S.) et les dispositions conventionnelles ?

#### b) *La rémunération*

L'application des dispositions de l'article L.212.5. (majorations de 25 et 50 %) ou des dispositions conventionnelles plus favorables est-elle assurée par les procédures internes ? Les modalités de détermination du salaire de base retenues pour établir la paye sont-elles conformes aux décisions de la jurisprudence ?

### c) *Le repos compensateur*

Les procédures internes permettent-elles de respecter les dispositions conventionnelles applicables dans l'entreprise ou, à défaut d'accord, les dispositions prévues par les articles D.212.5 à 12 du code du travail en matière :

— d'information du salarié sur l'ouverture du droit au repos compensateur et sur le délai maximum de deux mois ;
— d'information de l'inspecteur du travail des modifications de période ;
— de demande du bénéfice du repos ;
— de partage des demandes en cas d'impératifs ;
— de période de prise de repos.

Les procédures internes permettent-elles le respect des dispositions du code du travail (art. L.212.5.1.) ou des conventions applicables relatives :

— au calcul de la durée du droit au repos compensateur ;
— à la prise du repos par journée entière ou par demi-journée ;
— à l'indemnisation en cas de résiliation du contrat de travail ;
— au contingent d'heures supplémentaires.

### d) *L'information de la représentation des salariés*

L'information de la représentation sur l'utilisation du contingent d'heures supplémentaires est-elle organisée ? Une consultation annuelle sur les modalités d'utilisation du contingent est-elle organisée ? La consultation de la représentation sur le recours « hors contingent » est-elle prévue ?

A l'issue de cet examen, l'auditeur exprime son opinion et propose des améliorations permettant une conformité des dispositions applicables.

### 3.3.3. LE RESPECT DES PROCÉDURES INTERNES

Il ne suffit pas de vérifier que les procédures internes sont conformes aux dispositions à respecter. Il faut, également, vérifier que ces procédures sont convenablement appliquées.

L'auditeur vérifie en analysant un échantillon, que :

— la décision a été prise par le responsable habilité par les procédures internes ;
— la nature du régime (contingent libre ou autorisation préalable) a été définie pour chaque salarié concerné ;
— les heures du contingent ont fait l'objet d'une consultation annuelle, ou avant la période d'utilisation ;
— les heures hors contingent ont été autorisées par l'inspecteur

du travail, demande ayant été adressée suffisamment tôt et l'avis du comité ayant été recueilli ;
— l'ensemble des formalités prévues par les procédures internes accomplies.

La détermination de l'échantillon est faite selon les règles présentées dans « Audit Social » (4) *(pages 101 à 115)*.

L'auditeur contrôle la conformité des opérations grâce à un questionnaire adéquat :
— les taux de majoration appliqués sont-ils les taux en vigueur dans l'entreprise ?
— le salaire de base retenu est-il celui défini dans l'entreprise ?
— le bulletin de salaire mentionne-t-il les heures majorées ? Les informations nécessaires à l'établissement de la paie ont-elles été fournies dans les délais ?
— le salarié a-t-il été informé de ses droits acquis en matière de repos compensateur par l'indication sur son bulletin de paie ou sur une fiche annexe ?
— le calcul du repos compensateur est-il conforme aux règles applicables dans l'entreprise ?
— le repos a-t-il été pris selon les modalités applicables ? (délai de présentation de demande, délai pour donner l'accord, pour prendre le repos ?)
— le repos compensateur a-t-il été assimilé à un travail effectif ?
— quelle est la solution retenue pour les droits partiels ? Ont-ils été liquidés ?
— une indemnité compensatrice a-t-elle été versée en cas de résiliation du contrat de travail ?

## 3.4. LES INTERRUPTIONS DU TEMPS DE TRAVAIL

La multiplicité et la diversité des modalités d'octroi des congés (rémunérés ou non, légaux, supplémentaires, jours fériés,...), des formes spécifiques d'interruption de l'activité (congés, maladies, chômage, formation,...) et des statuts particuliers des salariés (temps partiel, apprentissage, formation, travail à domicile,...) conduisent l'auditeur à examiner la conformité des arrêts du temps du travail, d'une part au plan des droits de l'absence (§ 3.4.1.), et d'autre part au plan des conséquences pour le salarié et l'employeur. (§ 3.4.2.)

---

(4) PERETTI (J.-M.) *Audit Social, op. cit.*, pages 101-115.

### 3.4.1. LES DROITS DE L'ABSENCE

Les salariés peuvent bénéficier de droits à des congés préétablis (congés légaux payés, jours fériés), à des congés spécifiques voulus ou non (congés pour événements familiaux, congés formation, ...).

Les salariés peuvent être absents sans autorisation (absentéisme, congés pour convenance personnelle refusés,...), pour raison de santé (maladie, accident du travail,...) enfin, pour des raisons indépendantes de leur volonté (chômage partiel, intempéries, grèves, lock-out, mobilisation,...).

Les missions confiées à l'auditeur peuvent porter sur l'ensemble des absences et la totalité du personnel.

La première tâche de l'auditeur consiste alors à identifier les règles d'attribution des congés et du traitement des absences :
— textes légaux et réglementaires applicables ;
— dispositions des conventions et accords collectifs ;
— accords en vigueur dans l'unité de travail ;
— usages et coutumes de la profession ;
— règles internes.

La deuxième tâche de l'auditeur est de répertorier les différentes catégories de personnels aux droits spécifiques :
— jeunes travailleurs ;
— apprentis ;
— jeunes femmes ;
— mères de familles ;
— salariés ayant des droits par suite d'ancienneté ;
— salariés changeant de statut (temps partiel, temps plein) ;
— travailleurs postés ;
— travailleurs exerçant un métier particulier (commerce de détail, boulangerie, travaux publics, etc.) ;
— travailleurs à domicile et télétravail ;
— représentants du personnel (délégués, membres du comité d'entreprise, etc.) ;
— travailleurs exerçant des fonctions publiques (députés, jurés, etc.).

Enfin, par type d'interruption d'activité, l'auditeur procédera à l'adéquation des réglementations et des statuts, en examinant plus particulièrement les congés (§ 3.4.1.1.), les jours fériés (§ 3.4.1.2.), les chômages (§ 3.4.1.4.), les arrêts pour raison de santé (§ 3.4.1.4.), les absences particulières (§ 3.4.1.5.).

### Les congés légaux

La réglementation classe les congés autorisés selon la nomenclature suivante :

- congés payés annuels (L.223.1. à 13 — ordonnance du 16.1.1982) et les congés supplémentaires :
  - des jeunes mères de familles (L.223.5)
  - des jeunes travailleurs (L.223.3)
  - pour fractionnement (L.223.8)
- congés liés à la famille :
  - pour événements familiaux (L.226.1)
  - de maternité (L.122.25.26)
  - d'adoption, de naissance (L.122.28.1 à 7)
- congés liés à l'éducation :
  - éducation ouvrière (L.451.1 à 5)
  - enseignement (L.931.13)
  - examen (L.931.1)
  - formation des jeunes travailleurs (L.921.10)
  - formation des membres du comité d'entreprise, du C.H.S.C.T.
  - formation de cadres et d'animateurs de la jeunesse (L.225.1)
- congés particuliers :
  - sabbatique (L.122.32)
  - pour création d'entreprise (L.122.32 Loi 9.7.82)
  - pour aider les victimes des catastrophes naturelles (Loi 13.7.1982)
  - pour activités d'intérêt général (élus, jurés, etc.)

### Les jours fériés

Aux onze jours fériés légaux, la loi (20 mars 1951) ou les conventions accordent des jours supplémentaires, par exemple :
— la Sainte-Barbe pour les exploitations minières ;
— la Saint-Eloi pour certaines conventions de la métallurgie ;
— le lundi quand le jour férié est un dimanche, dans les banques ;
— le jour de la braderie de Lille, etc.

### Les chômages

La réglementation distingue :
— le chômage partiel (ou technique) dû à la fermeture temporaire du lieu de travail et à la réduction des heures travaillées, c'est-à-dire heures perdues collectivement (L.351.19-L.141.10) ;
— le chômage saisonnier (déclaré après réduction ou suspension d'activité se produisant pour la 3e fois consécutive à la même époque de l'année). (L.351.19) ;
— le chômage intempéries (régime particulier applicable aux métiers de batiment et des travaux publics lorsque le travail est interrompu pour des raisons climatiques). (L.731.1 à 13).
Certaines branches professionnelles (batiment, travaux publics,

transports) sont rattachées à des caisses de congés payés qui assurent les paiements aux salariés.

### Les arrêts pour raison de santé

Le principe édicte que le salarié peut s'absenter pour maladie sur justificatif médical.

L'auditeur procède à l'examen des arrêts pour raison de santé sur les points suivants :
— réception d'un certificat médical conforme ;
— respect du délai de prévenance ;
— possibilité de contre-visite médicale ;
— intégration de l'absence pour maladie dans le calcul des congés payés légaux ;
— déclaration légale d'une maladie professionnelle, d'un accident de trajet ou de travail ;
— visite médicale de reprise ;
— information éventuelle du C.H.S.C.T. ;
— déclaration aux caisses d'accidents du travail ;
— contestation éventuelle du bien fondé de l'arrêt maladie.

### Absences particulières

Certaines conventions collectives accordent des congés supplémentaires aux mères de famille nombreuse (exemple : convention collective de la production papiers-cartons de la région parisienne) et à certains salariés selon leur ancienneté (convention collective).

En dehors des congés énumérés au paragraphe 3.4.1.1., les salariés peuvent solliciter l'autorisation de prendre des congés non rémunérés pour convenances personnelles.

Bien que non prévues par la loi, les usages et nombre de conventions octroient aux salariés des absences de deux heures par jour pour recherche d'emploi pendant la période de préavis.

Des cas de force majeure obligent le salarié à s'absenter, entraînant suspension du contrat de calcul sans rémunération :
— période d'obligations militaires (service national, instruction militaire, mobilisation) ;
— incarcération avant jugement ;
— mise à pied conservatoire (L.122.41).

Les représentants du personnel peuvent pendant leurs heures de délégation (L.434.1., L.424.1., L.412.17) s'absenter tant de leur poste de travail que de leur entreprise.

Enfin, des salariés se trouvent dans l'impossibilité de travailler pour fait de grève, lock-out.

L'ensemble, ci-dessus exposé (non-exhaustif), des droits à l'absence entraîne pour le salarié et l'employeur des conséquences multiples sur les temps de travail collectifs et individuels, et sur les rémunérations, dont l'auditeur vérifie l'application.

Sur chaque point, il vérifie la conformité des procédures internes avec la réglementation applicable d'une part, et le respect de ces procédures d'autre part. Sur ce second point, il procède par sondage (cf. « Audit Social », pp. 102 à 115).

### 3.4.2. L'AUDIT GLOBAL

Dans le cadre d'une mission globale, l'auditeur examine particulièrement :
— la fixation des dates de congé légaux, des jours fériés, des ponts ;
— la prise effective des congés dans la période édictée par la loi L.233.7. ;
— le calcul pour chaque catégorie de personnel de ses droits à l'absence ;
— le calcul des absences ;
— les incidences éventuelles des absences sur le travail :
  — des congés légaux ;
  — de l'ancienneté ;
  — du droit à la formation ;
  — du droit au repos compensateur ;
  — du droit au paiement supplémentaire.
— la fixation de l'ordre des départs en cas de roulement des congés ;
— la récupération des jours travaillés lors d'un congé légal ;
— la détermination des jours ouvrables et ouvrés ;
— la détermination du repos compensateur, des jours fériés, et des ponts ;
— la tenue de registres spéciaux (accident) ;
— l'affichage des horaires, des équipiers postés ;
— le suivi des délais de prévenance ;
— les informations aux services extérieurs concernés (caisse maladie, U.N.E.D.I.C., caisses professionnelles) ;
— l'information préalable de l'inspection du travail sur l'intention de récupérer les heures perdues et les modalités prévues ;
— la communication et la consultation des représentants du personnel ;
— le calcul des rémunérations des congés ;
— les calculs des rémunérations des absences, et de la récupération des sommes versées par les caisses maladies et les caisses de congés payés (pour batiment et T.P.) ;
— le remplacement des absents et les précautions pour la reprise de poste éventuelle ;
— l'intégration ou non des absents dans les calculs des seuils (délégués, formation, handicapés, etc.).
L'auditeur, pour examiner la conformité des interruptions d'acti-

vité, peut utiliser un document d'analyse dont nous proposons ci-dessous un modèle.

## Tableau 15

**Audit de conformité des interruptions d'activité**

| | | |
|---|---|---|
| Société : | Établissement : | Atelier : |
| Convention collective : | | |
| Accord régional : | | |
| Accord d'entreprise : | | |

**MOTIF DE L'ABSENCE**

**SPÉCIFICITÉ DU/DES SALARIÉS :**
— Nature du contrat de travail
— Date de suspension du contrat
— Sexe
— Condition de santé
— Nombre d'enfants vivant au foyer
— Diplôme professionnel
— Situation militaire
— Ancienneté réelle

— Date d'embauche
— Nationalité
— Age
— Situation civique acquise

**NATURE DE L'ABSENCE :**
Autorisée - Prévue - Imprévue - Cas de force majeure
Durée de l'absence - Possibilité de différer - Amplitude
Octroi de repos compensateur
Récupération autorisée - Prévue - Anticipée

**RÉMUNÉRATION :**
Par l'employeur :
Au taux normal - Sous forme de pourcentage - Sous forme de jours ouvrables, ouvrés
Par l'état :
Chômage partiel
Par des organismes sociaux :
Caisse maladie - Caisse professionnelle de congés payés - U.N.E.D.I.C.
Caisse d'allocations familiales - Autres organismes

**CONSÉQUENCES**
Suspension du contrat - Durée légale de la suspension - Rupture du contrat - Réintégration obligatoire dans le poste - Dans un délai limite de : Obligation de qualification.
Conséquences sur les calculs des seuils : D.P., C.E., C.H.S.C.T., handicapés, commission formation.

**INFORMATION**
Services internes - Représentants du personnel - Médecine du travail - Inspection du travail - Préfecture - Caisses régionales.

**CONSÉQUENCES JURIDIQUES ÉVENTUELLES**
Fiscales - Pénales.

## 3.5. AUDIT DES DIALOGUES SUR L'A.T.T.

Diverses formes de dialogues entre les partenaires sociaux au sein de l'entreprise, en matière d'A.T.T., sont examinées par l'auditeur :
— suggestions lors des réunions des groupes d'expression directe des salariés ;
— réclamations faites par les salariés auprès de leurs délégués ;
— discussions au sein des comités d'entreprise (ou d'établissement) et des C.H.S.C.T., lors des réunions normales ou extraordinaires, (introduction d'horaires individualisés) lors des réunions pour l'étude des rapports annuels spécifiques ;
— négociations avec les représentants syndicaux pour la négociation obligatoire annuelle sur la durée du travail et l'organisation des temps et les négociations pour la conclusion d'accords dérogatoires en matière de durée du travail quotidienne ou hebdomadaire, contingents d'heures supplémentaires, de repos du dimanche, de période de congés payés.

### 3.5.1. AUDIT DE L'EXPRESSION DIRECTE

La loi a reconnu aux salariés un droit à l'expression directe et collective sur le contenu et l'organisation du travail. L'aménagement des temps fait partie du domaine d'intervention du droit d'expression. L'audit des dialogues doit donc inclure l'expression directe.

La mission confiée à l'auditeur peut être, ainsi, formulée : « les modalités d'exercice du droit d'application sont-elles, en ce qui concerne l'A.T.T., conformes aux dispositions légales ou conventionnelles applicables ? ».

L'auditeur s'intéresse, en particulier, à :
— la tenue effectuée des réunions et leur fréquentation ;
— la transmission des vœux et avis ;
— le traitement des vœux et avis ;
— l'information sur les suites que l'employeur entend donner.

### 3.5.2. LE DIALOGUE AVEC LES DÉLÉGUÉS

Les délégués du personnel ont, pour principale mission, de présenter au chef d'entreprise les réclamations individuelles ou collectives relatives à la réglementation et au statut conventionnel.

Les délégués sont habilités à saisir, le cas échéant, l'inspecteur du travail des plaintes relatives à l'application des prescriptions légales et réglementaires.

Les délégués ont qualité pour communiquer à la délégation salariale au C.E. et au C.H.S.C.T. les suggestions et les observations du personnel.

Les délégués doivent également être consultés pour la fixation de la période des congés payés et l'ordre des départs. Leur rôle, en matière d'A.T.T., est donc d'autant plus important que la réglementation est complexe et le statut conventionnel évolutif.

Le questionnaire élaboré par l'auditeur portera sur le respect de la réglementation applicable sur ces différents points.

### 3.5.3. LE DIALOGUE AVEC LES COMITÉS

Le comité d'entreprise a pour objet d'assurer une expression collective des salariés permettant la prise en compte de leurs intérêts dans les décisions relatives, en particulier, à l'organisation du travail.

L'article L.432.3. vise expressément l'organisation du temps de travail : « Le comité est consulté sur la durée et l'aménagement du temps de travail ainsi que sur le plan d'étalement des congés... ». L'article L.212.6. prévoit que l'utilisation du contingent d'heures supplémentaires libre doit faire l'objet d'une information du C.E.

L'auditeur examine la conformité des points suivants :

— les informations préalables à fournir ont-elles été précisées, écrites, sont-elles suffisantes ?
— les délais d'examen par les représentants du personnel ont-ils été suffisants ?
— en cas de litige, un juge a-t-il été saisi ?
— la discussion sur le thème a-t-elle été réelle, complète ?
— la suite a-t-elle donné lieu à un avis positif, négatif, à un accord ?
— les autres partenaires sociaux concernés ont-ils été informés (C.H.S.C.T., C.C.E., inspection du travail, préfecture, médecine du travail, etc.).

L'auditeur s'intéresse, en particulier, aux différents rapports traitant, directement ou indirectement, du temps de travail. Ainsi, il vérifie que l'ensemble des informations relatives aux temps et durée contenues dans le bilan social sont exactes.

### 3.5.4. LES NÉGOCIATIONS

L'article L.132.17. précise :

« ...l'employeur est tenu d'engager chaque année une négociation sur les salaires effectifs et l'organisation du temps de travail. »

L'examen de l'auditeur porte sur plusieurs points :

- l'entreprise est-elle assujettie à ce principe (entreprise pourvue de délégués syndicaux, d'organisations représentatives) ?
- l'employeur a-t-il pris l'initiative ? A-t-il engagé la négociation à la demande d'une organisation syndicale ? A-t-il respecté les délais ?
- les délégations de chacune des organisations représentatives sont-elles conformes aux dispositions de l'article L.132.20. ?
- le temps passé à la négociation a-t-il été payé comme temps de travail ?
- l'extension des délégations aux organisations représentatives d'entreprises extérieures effectuant des travaux de sous-traitance est-elle conforme aux dispositions de la circulaire du 25 octobre 1983 ?
- la procédure de négociation a-t-elle respecté les dispositions légales (L.132.28.) réglementaires ou conventionnelles applicables ?
- le chef d'entreprise a-t-il respecté l'interdiction de prise de décision dans le champ des négociations ?
- en cas d'échec de la négociation, le déroulement des opérations est-il conforme à l'article L.132.29. (procès-verbal de désaccord) ?

L'auditeur examine, également les négociations éventuelles, d'accords portant sur l'A.T.T. et, notamment, le respect des modalités spécifiques aux accords obligatoires.

## 3.6. L'AUDIT DES TEMPS DE DÉLÉGATION

Depuis 1982, les droits de la représentation des salariés ont été renforcés avec des heures de délégation plus nombreuses. Le système de représentation des salariés assumant les fonctions de réclamation (délégués du personnel), d'expression collective, d'information (comité d'entreprise) et de négociation (délégués syndicaux) entraîne des heures de délégation des représentants sous forme de crédits d'heures, régies légalement ou conventionnellement.

### 3.6.1. LE CADRE RÉGLEMENTAIRE

Chaque instance, selon la taille du groupe, de l'entreprise, de l'établissement, du site, se voit octroyer un certain nombre de délégués, titulaires, suppléants, dotés de crédit d'heures destinés à remplir leurs missions en permanence, en sus des temps consacrés (et rémunérés normalement) aux réunions périodiques obligatoires.

Le tableau ci-dessous dresse le cadre légal des crédits d'heures. Ces crédits peuvent être accrus conventionnellement.

Tableau 16

**Crédit d'heures de délégation**

| | Effectif salariés | Temps réunion | Heures Mois | An |
|---|---|---|---|---|
| COMITÉ D'ENTREPRISE (C.E.) | | | | |
| — Réunion du C.E. titulaires ou suppléants | | Totalité | | |
| — Missions du titulaire ou suppléant | | | 20 H | |
| — Commission formation | > 300 | Totalité | | |
| — Commissions A.C.T. | > 300 | Totalité | | |
| — Commission logement | > 300 | Totalité | | 20 H |
| — Commission économique | >2 000 | Totalité | | 40 H |
| DÉLÉGUÉS DU PERSONNEL (D.P.) | | | | |
| — Réunion mensuelle titulaires + suppléants | | Totalité | | |
| — Missions du D.P. | | | 15 H | |
| — D.P. assumant le rôle de C.E. | | | 35 H | |
| — D.P. assumant le rôle de D.S. | | | 15 H | |
| DÉLÉGUÉS SYNDICAUX (D.S.) | | | | |
| — Missions de négociations | 50/150 | | 10 H | |
| | 151/500 | | 15 H | |
| | > 500 | | 20 H | |
| — Réunion au C.E. | > 500 | | 20 H | |
| — Réunion mensuelle D.P. | | Totalité | | |
| — Délégués syndical central | >2 000 | | 20 H | |
| C.H.S.C.T. | | | | |
| — Réunion du C.H.S. | | Totalité | | |
| — Missions d'H.S.A.C.T. | > 50 | | 2 H | |
| | > 100 | | 5 H | |
| | > 300 | | 10 H | |
| | > 500 | | 15 H | |
| | >1 500 | | 20 H | |
| SECTION SYNDICALE | > 500 | | | 10 H |
| — D.S. ou non | >1 500 | | | 15 H |

## 3.6.2. LA DÉMARCHE DE L'AUDITEUR

L'auditeur recense l'ensemble des bénéficiaires potentiels et vérifie si les modalités de l'octroi des crédits d'heures destinés à chaque représentant du personnel, titulaire, suppléant, sont en accord avec les règles suivantes :

— l'effectif, pendant douze mois consécutifs ou non au cours des trois années précédant à l'élection ou désignation, détermine un nombre défini de titulaires ou suppléants pour les groupes, entreprises, établissements, sites ;
— le cumul des fonctions de délégué du personnel, délégué syndical, représentant au C.E., C.C.E., C.H.S.C.T., est autorisé ;
— en cas d'absence d'un C.E., d'un C.H.S.C.T., les délégués du personnel peuvent en assumer les prérogatives avec crédit d'heures, sous forme d'institution collégiale ;
— le C.E. doit se réunir chaque mois civil ;
— les délégués du personnel (titulaires et suppléants) doivent avoir une réunion mensuelle avec l'employeur ;
— le C.H.S.C.T. doit se réunir chaque trimestre civil ;
— en cas d'urgence, de circonstances exceptionnelles, des réunions de délégués du personnel C.H.S.C.T., peuvent être provoquées ;
— les crédits d'heures peuvent être mis en commun pour les délégués syndicaux et pour les sections syndicales ;
— les crédits d'heures ne peuvent pas être partagés pour les délégués du personnel, C.E., C.H.S.C.T., sauf entre un titulaire absent et son suppléant ;
— les heures non utilisées pendant les congés ne peuvent être reportées ;
— le crédit d'heures mensuel ou annuel est une limite autorisée et non un forfait ;
— les heures peuvent être fractionnées ;
— en cas de circonstances exceptionnelles (à l'appréciation définitive de la direction, voire des tribunaux) le dépassement des crédits d'heures est autorisé ;
— la grève, le lock-out, suspendent les crédits d'heures pour les délégués du personnel, C.E., mais ceux des C.H.S.C.T. et des délégués du personnel et sections syndicales sont maintenus.

L'audit vérifiera si des accords conventionnels, des usages formels ou informels, n'ont pas, au cours du passé, modifié l'une ou l'autre des règles précitées, ou si des procédures spécifiques à l'établissement étudié n'ont pas été institutionnalisées.

L'audit des temps de délégation porte sur les nombres d'heures passées, les modalités d'utilisation et le fonctionnement des instances.

### Nombre d'heures

— Quel est, par titulaire, par suppléant, le nombre d'heures limite alloué, par mois, trimestre, année civile ?
— Quelles sont les heures réellement utilisées dans les réunions

obligatoires, C.E., D.P., C.H.S.C.T. ?, de négociation avec les D.S. dans les sections syndicales, les commissions spécialisées légales ou conventionnelles des C.E., C.C.E. ?

— Quelles sont les heures utilisées dans les groupes d'expression, cercles, conventionnels ou non ?

### Modalités d'usage des heures

— Les heures de délégation ont-elles été prises pendant les horaires normaux de travail ? en dehors des horaires ? en dehors des jours normaux ?
— les crédits d'heures ont-ils été dépassés ? pour des circonstances exceptionnelles ? en accord avec l'employeur ? à l'intérieur de l'entreprise ? en dehors de l'entreprise ?
— Les heures de dépassement ont-elles été payées ? en heures supplémentaires ? récupérées ?
— Quelle a été la durée moyenne des réunions des C.E., D.P., C.H.S.C.T., C.C.E. ?
— Quelle a été la durée consacrée par les représentants des personnels à la préparation des réunions, à la rédaction des rapports et à leur lecture.

### Fonctionnement des délégations

— Les heures de délégation ont-elles été prises après information du chef de service ?
— Un délai de prévenance est-il prévu, observé ?
— Un système de bons de délégation est-il institué, si oui comment ?
— Un contrôle a posteriori des heures est-il prévu, réalisé, comment ?

L'audit des temps de délégation peut avoir pour but, également, de vérifier si les relations professionnelles au sein de l'entreprise ont été favorisées ou non par les heures consacrées directement ou indirectement au fonctionnement des instances. Le système de relations professionnelles a-t-il permis la mise en application du plan social (effectif, rémunération, formation, promotion...) si prévu, ou a-t-il renforcé le consensus social, la cohésion, et autorisé l'implantation de technologies nouvelles, la mise en place d'innovations sociales, l'amélioration de la productivité, de la qualité, la diminution des dysfonctionnements ? (absentéisme, turn-over, gâchis...).

# CHAPITRE IV

# AUDIT D'EFFICACITÉ

Les audits d'efficacité d'un A.T.T. répondent aux deux questions suivantes :
— les résultats sont-ils conformes aux objectifs ?
— les résultats ont-ils été acquis aux moindres coûts ?

Ils englobent l'efficacité (capacité d'une organisation à atteindre le but qu'elle s'est fixé) et l'efficience (capacité à être efficace au moindre coût). C'est pourquoi, certains professionnels préfèrent utiliser l'expression « Audit de Gestion ».

Pour conforter et asseoir les préconisations, l'auditeur est amené à examiner, non seulement les résultats obtenus, mais aussi l'ensemble du processus par lequel ils ont été produits.

L'audit d'efficacité recouvre l'audit des procédures. Il répond aussi aux questions :
— les procédures de gestion internes corespondent-elles aux objectifs définis en matière d'A.T.T. ?
— les procédures peuvent-elles être allégées ou améliorées pour atteindre plus facilement les objectifs visés ?

Enfin, au-delà des résultats, l'auditeur dégage les conséquences prévues et imprévues de l'A.T.T. (effets pervers, coûts, dysfonctionnements induits).

Les principales missions d'audit d'efficacité d'A.T.T. concernent les pratiques suivantes :
(§ 4.2.) travail en équipes successives,
(§ 4.3.) temps partiel,
(§ 4.4.) horaire variable,
(§ 4.5.) modulation des horaires.

L'auditeur utilise une grille standard d'audit d'efficacité (§ 4.1.) pour préparer le questionnaire spécifique à sa mission.

## 4.1. GRILLE D'AUDIT D'EFFICACITÉ

A travers six séries d'interrogations la grille ci-dessous facilite la construction de questionnaires spécifiques :

a) *Historique* (expériences, leurs évolutions, leurs prolongements)

— l'auditeur retrace l'histoire des modalités des temps de travail au sein de l'organisation étudiée ;
— quelles étaient les modalités des temps de travail ? ;
— l'A.T.T. étudié est-il nouveau ? Y a-t-il eu d'autres formules d'A.T.T. ?, au sein de l'organisation ?, dans la société ?, le groupe ?, etc. ;
— quand et par qui l'idée a-t-elle été lancée ? Quels étaient les arguments mis en avant ? Comment ont-ils été accueillis ? Quelles ont été les principales étapes de l'adoption ? La position des partenaires sociaux ? L'évolution des positions dans le temps ?
— parmi les expériences d'A.T.T. déjà réalisées une évaluation a-t-elle été faite ? par qui ? comment ?
— les expériences antérieures ont-elles été poursuivies ? dans quels services ? quels ateliers ?

b) *Les objectifs*

Quels sont-ils ? Qui les établit ? Comment ont-ils été établis ? Quelle part a été accordée à la négociation ? Quelle information a été apportée aux salariés sur les objectifs ? Sous quelle forme ?
L'auditeur identifie les pressions internes et externes dans la définition des objectifs et avantages attendus.

c) *Analyse des moyens et ressources mis en œuvre*

L'auditeur mesure les temps passés et les coûts directs. Le temps passé se décompose en :
— temps de conception, de préparation et de mise en œuvre du projet d'A.T.T. par les services du personnel, la direction générale, les directions opérationnelles ;
— temps consacré à la consultation, à la concertation et à la négociation avec les représentants du personnel ;
— temps consacré à l'information des salariés.

Les coûts directs supportés, outre le temps, comportent d'éventuels honoraires de consultants externes, des frais de déplacement et de documentation pour étudier des expériences externes, les coûts des supports et médias utilisés.

### d) *La démarche de mise en œuvre*

L'auditeur vérifie que l'introduction s'est faite selon une démarche rigoureuse et maîtrisée, comportant les étapes suivantes :
— définition des objectifs par la direction ;
— leur cohérence avec le plan social ;
— leur adéquation avec les aspirations du personnel, les attitudes des représentants du personnel ;
— leur compatibilité avec les autres organisations de la société, du bassin d'emploi, de la ville, des moyens de transport, etc. ;
— analyses des impacts sur l'organisation concernée par l'A.T.T.
— les modalités préalables à l'introduction de l'A.T.T. (enquêtes, consultations, discussions, négociations).

L'auditeur examine les questions suivantes :
— Y a-t-il un projet d'accord ? Par qui a-t-il été élaboré ? Selon quelle procédure ?
— Un accord spécifique a-t-il été signé ? Par qui ? Quand ? Y a-t-il eu des réserves ? De qui ?
— L'A.T.T. projeté a-t-il fait l'objet d'une expérimentation ? Où ? Quand ? Comment ?
— Quelles sont les populations concernées ?
— L'A.T.T. a-t-il été adopté ? Quels en ont été les résultats ? Les avantages ? Les coûts ? Les effets pervers ?
— Un système d'information a-t-il été mis en place ? Par qui ? Comment ?

### e) *Conséquences d'un système d'A.T.T. mis en œuvre dans une unité de travail*

Tout système d'A.T.T. mis en œuvre entraîne des conséquences que l'on peut analyser selon des approches diverses :

coûts/gains — inconvénients/avantages
atouts/handicaps — positif/négatif
points forts/points faibles — effets bénéfiques/effets pervers

Cet examen des conséquences pourra se faire à trois niveaux :
— l'unité de production ou de services concernée directement par l'A.T.T., dénommée généralement l'entreprise (I) ;
— les salariés impliqués directement par l'A.T.T. et les autres salariés de l'entreprise (II) ;
— les parties prenantes extérieures à l'entreprise (collectivité locale, fournisseurs, clients et usagers) (III).

Nous dressons ci-dessous une liste des postes, thèmes ou critères d'analyse.

I. Conséquences pour l'entreprise.

Coûts salariaux

— Effectifs :
Pour un volume de production ou de services identique, effectifs au travail — nombre de salariés — nombre d'heures supplémentaires — recours à des personnes atypiques (durée déterminée, travail temporaire) (TT), travailleurs extérieurs, travailleurs à temps partiel (TP), à domicile (TD).
— Rémunérations :
Octroi de primes spéciales (panier, nuisances, de nuit, de fin de semaine...) — temps de formation ou de conversion nécessaires à la nouvelle forme de travail — modification des qualifications, des grilles de salaire — rémunération d'heures supplémentaires, de compensation — répercussion sur les primes d'ancienneté, de fin d'année, de participation.

Temps de travail :
— Flexibilité des temps de travail à l'intérieur de la journée, de la semaine, du mois, de l'année ;
— niveau du temps de travail productif ;
— étalement des congés ;
— durée des temps de pauses, repos, repas ;
— suppressions des périodes de travail perturbées (congés des enfants, travaux agricoles, fêtes locales, saison touristique, lendemains de fêtes, ponts,...)

Encadrement :
— taux d'encadrement ;
— niveau de qualification ;
— qualité de communication, formation ;
— contrôle des temps de production ;
— assistance à l'entretien, au dépannage ;
— mise en route des équipes,...
— acceptabilité des A.T.T. et satisfaction.

Représentants des personnels :
— organisation de la représentation ;
— contacts avec les salariés ;
— actions revendicatives, déclenchement de grèves...

Organisation du travail :
— charge de la gestion des personnels atypiques ;
— méthodes spécifiques pour la passation des informations, de consignes, des reprises de postes... ;
— méthodes du contrôle des temps travaillés ;
— organisation des services de restauration, ramassage, contrôle.

Organisation de la production :
— durée d'utilisation des équipements (D.U.E.) ;
— temps de chauffage, éclairage, gardiennage, entretien... ;
— flexibilité de l'utilisation des matériels, machines, locaux ;
— niveau des stocks de matières premières et de produits finis ;

- durée des cycles de production ;
- temps d'arrêts, reprises, démarrages ;
- pannes ;
- limite des flux à la disposition de la production (E.D.F., G.D.F.,...) ;
- disponibilité des services médicaux, de secours ;
- mise en place de technologies nouvelles ;
- mise en place de robotisation, etc.

Les produits : biens ou services :
- qualité des produits ;
- durée des services offerts aux clients, usagers ;
- souplesse des séries produites ;
- ruptures, goulots d'étranglement dans les approvisionnements ;
- absorption de surcharges saisonnières ;
- régulation des commandes, livraisons.

## II. Conséquences pour les salariés

Rémunérations

— niveau, écarts avec les autres personnels, octroi de primes...

Conditions de travail

— fixité du statut — fatigue physique et mentale — rapports avec l'encadrement — accidents du travail — maladies professionnelles — participation à la vie syndicale — participation aux groupes d'expression directe, de qualité, de sécurité, de progrès — accès à la formation permanente intra et extra — vie conviviale avec les autres salariés.

Conditions de vie hors travail :

— gestion de son temps — vie familiale — vie affective et sexuelle — participation à la vie collective, communale, syndicale, politique — comportement sociétal — attitude vis-à-vis des fléaux sociaux, tabac, alcool, drogue — absentéisme — sécurité de l'emploi.

## III. Conséquences pour les tiers

Collectivités locales :

Niveau de l'emploi — utilisation des services de transport, des équipements sociaux, culturels, sportifs, participation des salariés à la vie sociale.

Pour les clients ou usagers :

qualité et fiabilité des produits — plage d'heures d'ouverture des bureaux, des magasins, des services — permanence et régularité des services offerts — ruptures pour congés — prix.

Pour les entreprises extérieures :
disponibilité d'approvisionnement — fiabilité des livraisons — flexibilité des temps d'intervention.

### f) *Évaluation de l'efficacité*

A partir des critères, non limitatifs, énoncés ci-dessous, l'auditeur complète son analyse objective des coûts/avantages par l'audit des attentes des différents partenaires sociaux (dirigeants, encadrement, employés, représentants du personnel, syndicats, tiers...) selon des méthodes décrites au § 3.5. Cette évaluation objective, catégorie par catégorie, des partenaires intéressés à l'A.T.T., comporte des questions :

— la pratique d'A.T.T. a-t-elle atteint les objectifs que vous avez prévus ? à quel niveau ? avec quels effets supplémentaires ou au contraire pervers ?
— êtes-vous satisfaits de l'A.T.T. ? désirez-vous sa poursuite ? son amélioration éventuelle ?
— faut-il poursuivre cet A.T.T. ? ou le remplacer ? par quoi ? comment ? quand ?...

L'A.T.T. dispose de pratiques multiples qui ne se limitent plus, actuellement, à l'usage d'une seule modalité, par exemple : horaires individualisés ou temps partiel... Les pratiques sont, très souvent, multiples et l'innovation sociale dans une entreprise ou une branche se traduit par des A.T.T. divers et croisés.

Ainsi, une entreprise, citée par le C.A.T.R.A.L., utilise l'horaire mobile annuel, le temps partiel, l'étalement des congés tout en préparant les fins de carrière. Cet A.T.T. multiforme se généralisant, l'auditeur est de plus en plus chargé de l'audit d'un ensemble de pratiques. C'est pourquoi nous nous limiterons à ne donner que quelques exemples spécifiques : travail en équipes successives, temps partiel, horaire variable, modulation des horaires.

## 4.2. TRAVAIL EN ÉQUIPES SUCCESSIVES

Appelé souvent travail posté, le travail en équipes successives ou alternantes (T.E.S.) est une pratique d'A.T.T. selon laquelle des équipes de salariés se succèdent aux mêmes postes de travail, selon des cycles de rotation prédéterminés.

Le travail de nuit est une composante du T.E.S.

## 4.2.1. LES PRINCIPALES MISSIONS

La mise en place du T.E.S. renvoie soit à une contrainte technologique (permanence de la production ou du service : feu continu, hôpital, transport...) soit à une contrainte économique (optimalisation de la durée d'utilisation des équipements — D.U.E.—).

Dans le premier cas, l'objectif assigné à l'auditeur peut être, par exemple, de vérifier que les modalités retenues (équipes fixes ou équipes alternantes, programmation des congés, équipes de suppléants) sont les mieux adaptées et les plus performantes.

Dans le second cas, l'auditeur peut être interrogé sur l'opportunité même des aménagements adoptés (passage en 2 ou 3 équipes, équipes de suppléance, de fin de semaine...).

La diversité des modalités praticables entraîne une grande variété de missions.

L'ordre de mission précisera les modalités étudiées (par exemple : le travail de nuit, l'équipe du week-end), la population concernée (par exemple : les jeunes, les femmes), une certaine qualification, les effets à prendre en compte (par exemple : sur la santé — état physique, mental et social — sur la vie collective — grève, absentéisme — sur l'utilisation du matériel — panne, casse, usure, entretien) les moyens utilisés (enquête auprès du personnel, contact avec les représentants du personnel).

## 4.2.2. LE DÉROULEMENT

L'enquête préalable porte particulièrement sur les contraintes internes et externes pesant sur les modalités retenues et sur les conséquences directes et indirectes connues.

Le bilan social comporte quelques informations pertinentes : existence du travail posté (indicateur n° 421) : effectif travaillant en équipes fixes, alternantes pour les établissements de plus de 750 salariés et (indicateur n° 422) : personnel en continu et semi-continu de plus de 50 ans, avec ventilation selon le nombre d'équipes 2, 3, 4 et plus.

Le programme de mission repose sur trois principaux travaux :
- analyse des documents et comptes rendus, en particulier comptes rendus des réunions des C.E., C.C.E., C.H.S.C.T. rapport annuel au C.H.S.C.T. rapport sur la médecine du travail comptes rendus des réunions d'expression directe ;
- enquête auprès du personnel ;
- questionnaire.

Le questionnaire est construit à partir du modèle précédent

auquel peuvent être adjointes des questions plus spécifiques ou plus pointues :

quelles sont les conséquences du T.E.S.

— sur l'absentéisme ? le turn-over ? catégorie par catégorie, selon le sexe, l'âge, la santé, etc. ;
— sur les accidents du travail ? les troubles de la santé au niveau digestif, sommeil, nerveux, sexuel, alcool, tabac, etc. ?
— sur l'entente familiale chez les salariés, mariage, divorce, conflits, naissances, succès scolaires des enfants ?
— sur les rémunérations, au mois, à l'année ?
— sur la formation permanente externe, interne ?
— sur les conflits sociaux ?

L'enquête auprès des salariés concernés peut porter sur leur satisfaction :

— souhaitez-vous la suppression du T.E.S., son extension, des aménagements particuliers, lesquels, pourquoi ?
— quelles mesures d'accompagnement préconisez-vous, en matière de conditions de travail, d'organisation, dans quel délai ?

### 4.2.3. LE RAPPORT

Le rapport d'audit comporte, outre le rapport sur les réalisations, une opinion et des préconisations.

La nature de l'aménagement étudié rend délicate l'expression d'une opinion objective.

En effet, le travail posté fait l'objet de réticences, faux jugements, contresens et, c'est pourquoi, l'auditeur sera très vigilant lors de l'évaluation des conséquences sur la santé des salariés définie comme un état de complet bien-être physique, mental et social.

Cette vigilance est d'autant plus nécessaire que la santé des salariés est l'objet de représentations différentes sinon contradictoires, selon les acteurs qui interviennent dans le champ des rapports sociaux au sein de l'entreprise : « *autant d'acteurs sociaux, autant de conceptions de la santé liées à leur propre logique d'intervention* ».

L'auditeur doit veiller à ce que l'opinion soit l'expression exacte de ce qu'il pense, ne comporte que des éléments justifiables et appuyés sur des faits.

Ainsi le rapport d'une mission portant sur l'introduction d'une équipe supplémentaire de fin de semaine précisait :

« *D'après nous, en nous fondant sur nos investigations, trois des quatre objectifs assignés à cette pratique ont été atteints :*
*— La réduction du temps de travail des trois équipes (3 × 8) a*

*été obtenue grâce à la suppression d'un poste sans occasionner de coûts salariaux supplémentaires ;*

— *La durée d'utilisation effective des installations a été augmentée de 33 %, ce qui est proche de l'objectif (40 %) ;*

— *La résorption du goulet d'étranglement habituel à la production et la réduction des répercussions commerciales négatives n'ont pas été aussi complètes que prévu (les annulations de commandes n'ont été réduites que de 50 %).*

*Par contre la création, envisagée, d'emplois supplémentaires n'a pas eu lieu, compte tenu des progrès de productivité obtenus dans le cadre de la réorganisation des temps. »*

## 4.3. TRAVAIL A TEMPS PARTIEL

Le Bureau International du Travail (B.I.T.) définit le temps partiel comme un travail régulier et volontaire effectué pendant une durée plus courte que la durée normale. En France, sont considérés comme travailleurs à temps partiel ceux dont la durée mensuelle de travail est inférieure d'au moins un cinquième à la durée légale conventionnelle (Code du travail — Article L.212.42).

L'importance de la réglementation justifie les audits de conformité portant sur le T.P. L'importance des aspirations et des attentes relatives au T.P. suscite de fréquents audits d'efficacité.

### 4.3.1. LES MISSIONS

Développer le travail à temps partiel est l'un des objectifs, aujourd'hui fréquent, des politiques sociales d'entreprises. Trois raisons sont, généralement, mises en avant : répondre aux aspirations du personnel, accroître l'efficacité de l'entreprise, faciliter le partage de l'emploi et éviter des licenciements. Lorsqu'un système de T.T.P. a été adopté, les missions confiées à l'auditeur peuvent porter sur ces trois points

— le T.T.P. adopté répond-t-il aux aspirations du personnel, en particulier des jeunes, des femmes, des étudiants, à ajuster la durée du travail et, avant tout, ses rythmes (jour, semaine, an, vacances) à leur vie privée ?

— le T.T.P. mis en place présente-t-il un bilan socioéconomique positif ? L'accroissement de la productivité du travail effectif, l'utilisation accrue des équipements, la diminution de l'absentéisme compensent-ils des coûts de gestion accrus ?

— le T.T.P. permet-il de réduire le chomâge, de sauver des emplois ?

Également fréquentes sont les missions consistant à auditer les démarches de l'introduction du T.T.P. :

— l'enquête préalable a-t-elle porté sur les attentes des salariés ? Sur les répercussions attendues sur la gestion du personnel (effectifs diversifiés, seuils nouveaux, horaires variés), sur les structures (coordination de l'activité des services, encadrement), sur les investissements (transports, chauffage, restauration,...) ?
— l'information du personnel et de la hiérarchie a-t-elle été convenable ?
— les modalités nouvelles ont-elles été prises en compte dans l'ensemble des procédures ?

Lorsque l'entreprise n'a pas introduit le T.T.P., l'auditeur est, parfois, sollicité pour étudier dans quelle mesure il constituerait un progrès.

L'obligation de ne pouvoir proposer le T.P. qu'à des volontaires déclenche un nombre important d'audits sur la faisabilité du T.P. :

— dans quelles limites l'entreprise peut-elle offrir du T.T.P. ?
— pour quelles tâches particulières ?
— à qui ? à quels coûts ?
— doit-on créer des postes de travail, des binômes ?

D'autres missions peuvent être confiées à l'auditeur :

— étude du fonctionnement de la production à partir de salariés permanents à temps plein et de salariés à temps réduit, et de meilleures répartitions;
— étude de la mise en place de T.T.P. pour permettre l'ouverture au public jusqu'à 19 heures, le samedi ;
— étude de la possibilité d'embauche de chômeurs à indemniser avec l'aide de l'état (décret du 05.03.85) ;
— préparation du plan social auprès du F.N.E. avec possibilité de créer des emplois à temps partiel ;
— étude des coûts directs (salaire, charges) et des coûts indirects (recrutement, accueil, administration, formation...)

### 4.3.2. DÉROULEMENT DE L'AUDIT

L'objectif de la mission guide le déroulement de l'audit. Ainsi, le cadre défini à un auditeur externe, en juillet 1985, était : « *le système d'A.T.T. adopté, en 1983, répond-t-il aux contraintes de l'entreprise et aux attentes des salariés ? Des améliorations pourraient-elles en accroître l'efficacité économique et sociale* » ?

Les investigations de l'auditeur se sont développées sur quatre points :

### a) *L'introduction du T.T.P.*

Comment ont été analysées les attentes des salariés ? Les résultats ont-ils été contrôlés ? Des tests et expériences pilotes ont-ils été faits ? Les conséquences économiques ont-elles été étudiées ? Par qui ? Selon quelles modalités ? Les impacts organisationnels ont-ils été étudiés ? par qui ? comment ?

La hiérarchie a-t-elle été impliquée ? les représentants du personnel ?

Les résultats des enquêtes préalables ont-ils été présentés ? à qui ?

Les remarques ont-elles été exploitées ?

Le projet a-t-il été progressivement modifié ? quand ? par qui ? selon quelles modalités ?

### b) *Les résultats obtenus*

Combien de salariés ont-ils choisi le temps partiel ? pour quelle durée ? dans quels services ? caractéristique des travailleurs à T.P. ? pourcentage des diverses catégories ?

### c) *Les salariés face au système adopté*

La demande potentielle s'est-elle portée vers le T.P. ? sinon pourquoi ? les modalités retenues correspondent-elles aux attentes ? des insatisfactions ont-elles été exprimées ? des réclamations ? des revendications ?

### d) *L'organisation du travail et les coûts socioéconomiques*

La hiérarchie apprécie-t-elle le système ? quelles sont ses critiques ? comment évoluent-elles ?

Les incidences sociales sont-elles conformes aux prévisions ?

Les incidences économiques sont-elles conformes aux prévisions ?

Pour sa mission l'auditeur réalise divers travaux :

— entretiens avec la hiérarchie ;
— analyse des documents : comptes rendus des groupes d'expression, comptes rendus des diverses instances représentatives ;
— étude des statistiques internes (absentéisme...) ;
— enquêtes auprès du personnel ;
— analyses des manuels de procédures.


### 4.3.3. LE RAPPORT

Dans le domaine du T.P., le rapport est, parfois, orienté vers la démonstration de l'utilité bénéfique de cet A.T.T. auprès de la hiérarchie et des représentants du personnel encore très réticents vis-à-vis de l'extension de cette forme d'activité.

Le rapport répond, souvent, à une mission d'information et de préparation à la concertation et la négociation.

Ainsi, devant le système du T.P., un rapport propose « *la transformation de contrats de travail saisonniers à durée déterminée en contrats à durée indéterminée à temps partiel annuel de 800 heures/an pour les employés de la station de loisirs de ...* ».

Un autre rapport imagine « *la création de T.P. répartis pour les employés de service du groupe 2 entre un emploi de 650 heures/an en période hivernale dans la station de sports d'hiver de ... et de 500 heures/an dans un établissement situé à ...* ».

Dans le cas de l'exemple précédent, le rapport concluait, après avoir présenté les travaux réalisés :

« *Le système de T.T.P. adopté en septembre 1983 n'a pas connu le succès escompté. Le pourcentage de salariés à T.P. était de 2 % en moyenne en 1982 et de 3 % en 1984 (10 % prévu). Cet échec relatif semble avoir trois raisons :*

— *l'enquête d'opinion réalisée au printemps 1983 n'a pas apporté d'éléments fiables sur l'arbitrage entre temps libre et revenu des salariés intéressés par le travail à temps partiel. Le pourcentage d'agents intéressés a été surestimé ;*

— *les modalités retenues sont perçues comme lourdes et complexes du fait d'une information insuffisante des salariés susceptibles de choisir le T.P. et leur encadrement ;*

— *les réticences de la maîtrise et de l'encadrement liées à une implication insuffisante dans l'étude préalable et à une information limitée.*

*Or, les deux raisons mises en avant en 1983 pour développer le T.T.P. dans l'entreprise conservent leur actualité et présentent une acuité accrue :*

— *éviter des sureffectifs en réduisant l'emploi disponible à faible qualification ;*

— *améliorer la réponse de certains services aux demandes externes (amplitude journalière élargie, modulation quotidienne des présences liée à l'activité).*

*Il paraît donc souhaitable de prendre, pour renforcer le T.T.P., les mesures suivantes : (suit une série de préconisations).* »

La qualité des préconisations assure la qualité de la mission.

## 4.4. HORAIRE VARIABLE

Dénommé « souple », individualisé, personnalisé, l'horaire variable est une pratique qui offre aux salariés la possibilité de choisir leurs heures d'arrivée et de sortie, à l'intérieur de certaines périodes, dites plages variables, qui encadrent une période fixe, pendant laquelle tout le personnel de l'unité de travail doit être présent.

Le développement de l'horaire variable, depuis 15 ans, entraîne de nombreux audits d'efficacité.

### 4.4.1. LES PRINCIPALES MISSIONS

Les missions confiées à l'auditeur doivent permettre de répondre à deux questions :
— les objectifs retenus lors de l'introduction des horaires individualisés sont-ils atteints ?
— des améliorations permettent-elles d'accroître l'efficacité des systèmes mis en place ?

C'est donc en fonction des objectifs mis en avant par l'entreprise que l'auditeur organise sa mission.

Lorsque l'introduction des horaires individualisés s'est heurtée à un veto du C.E., il est, parfois, demandé à l'auditeur de rechercher les erreurs commises et de proposer des moyens pour réussir. Il est, alors, important d'identifier les objectifs réels, poursuivis dans la mise en place des horaires variables. Ainsi, lors d'une mission menée dans un établissement industriel où le C.E. s'était opposé aux horaires flexibles, malgré un fort souhait des salariés, l'auditeur découvrit que l'objectif réel de la direction de l'établissement n'avait pas été l'introduction d'une formule imposée par le siège, mais la mise en porte-à-faux du syndicat majoritaire peu de temps avant le renouvellement du C.E. Les maladresses commises avaient eu le résultat escompté : un veto suivi d'une baisse de l'audience aux élections suivantes entraînant un renversement de majorité. Par rapport aux objectifs réels de l'établissement, l'auditeur ne pouvait que constater l'efficacité de la démarche. Par rapport aux objectifs de l'entreprise, l'auditeur relevait des dysfonctionnements dans la diffusion des objectifs généraux et l'implication des échelons centralisés.

### 4.4.2. DÉROULEMENT DE LA MISSION

La démarche de l'auditeur comporte cinq étapes.

### a) *Identification des objectifs de l'entreprise*

L'auditeur détermine les principaux objectifs poursuivis par l'entreprise avec l'introduction des horaires individualisés en dégageant les objectifs principaux et les objectifs secondaires.

Il se pose les questions suivantes :
l'entreprise souhaitait-elle

— répondre à une demande exprimée par les salariés pour accroître leur satisfaction ;
— accorder une contrepartie dans le cadre d'une négociation ;
— devancer l'aspiration des salariés pour davantage d'autonomie dans la gestion de son temps ;
— réduire l'absentéisme et, en particulier, les absences courtes autorisées ;
— accroître la durée de travail effectif ;
— accroître les heures d'ouverture et la durée de fonctionnement ;
— introduire un contrôle accru par l'introduction du pointage, afin de réduire les retards et les départs avancés ;
— accroître la productivité du travail effectif ;
— réduire les accidents de trajet, la fatigue liée aux transports ;
— faire des économies sur le transport du personnel ;
— obliger l'encadrement à réviser ses modalités de travail, à davantage déléguer, à susciter la polyvalence ?

### b) *Examen de la demande d'introduction*

Le C.A.T.R.A.L. (1) recommande une démarche avec les principales étapes ci-après.

_____

(1) Comité pour l'aménagement du temps de travail et de loisirs en région Ile-de-France, 33, rue Barbet de Jouy, 75007 Paris.

Tableau 17

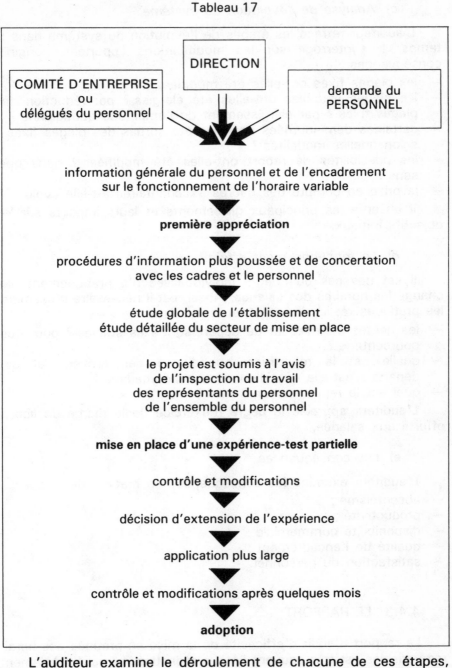

COMITÉ D'ENTREPRISE
ou
délégués du personnel

DIRECTION

demande du
PERSONNEL

information générale du personnel et de l'encadrement
sur le fonctionnement de l'horaire variable

**première appréciation**

procédures d'information plus poussée et de concertation
avec les cadres et le personnel

étude globale de l'établissement
étude détaillée du secteur de mise en place

le projet est soumis à l'avis
de l'inspection du travail
des représentants du personnel
de l'ensemble du personnel

**mise en place d'une expérience-test partielle**

contrôle et modifications

décision d'extension de l'expérience

application plus large

contrôle et modifications après quelques mois

**adoption**

L'auditeur examine le déroulement de chacune de ces étapes, ou note leur absence. Dans ce cas, il évalue les conséquences éventuelles (risques).

L'auditeur étudie, tout particulièrement, les modalités d'information des salariés. Il analyse la notice d'information.

### c) *Analyse de l'évolution du système*

L'auditeur retrace les étapes de l'évolution du système dans le temps. Il s'interroge sur les modifications apportées : origine, conséquences :

— les plages fixes ont-elles été modifiées ?
— les plages variables ont-elles été élargies ? par réduction des plages fixes ? par élargissement de l'amplitude quotidienne ?
— certaines demi-journées ont-elles été sorties des plages fixes ? selon quelles modalités ?
— les possibilités de report ont-elles été modifiées ? dans quel sens ?
— la prise en compte des heures excédentaires a-t-elle évolué ?

Il observe les principaux glissements et leurs impacts sur les objectifs initiaux.

### d) *Le fonctionnement effectif*

Il est des cas où l'heure individualisée n'a pratiquement pas changé les horaires des salariés. Aussi, est-il nécessaire d'examiner les pratiques réelles induites par le système :

— les heures d'arrivée et de départ sont-elles stables ? pour quel pourcentage ?
— quelle est la répartition quotidienne des arrivées et des départs ? est-elle quotidienne ou hebdomadaire ?
— quel est le report moyen ? mini ? maxi ?

L'auditeur apprécie le degré d'exercice de la marge de liberté offerte aux salariés.

### e) *Les conséquences*

L'auditeur examine les conséquences en matière de :
— absentéisme ;
— productivité ;
— disponibilité commerciale ;
— qualité de l'encadrement ;
— satisfaction du personnel.

### 4.4.3. LE RAPPORT

Le rapport d'audit d'efficacité de la mise en pratique des horaires variables est très souvent lié à la rédaction même du règlement de l'horaire variable appliqué dans une entreprise. Ainsi, un rapport déclare, dans ses conclusions :

« *Les avantages prévus pour le personnel (meilleure adaptation des moyens de chacun aux sujétions du transport, sentiment de* détente en éliminant les stress du retard, de l'absence, amélioration encadrement/employés) ont été, effectivement, obtenus puisque l'enquête, faite un an après la mise en place, dénombre 75 % de salariés satisfaits. La diminution de l'absentéisme de courte durée a été effective (de 13 à 8 % pour les employés du ...). La direction de l'exploitation reconnaît que, dans l'ensemble, les services ont mieux fonctionné ; sans, toutefois, pouvoir préciser la part due à l'horaire variable ou à l'introduction de l'informatique dans les services généraux. La direction du personnel admet que les horaires personnalisés ont, fortement, amélioré le climat social des employés, mais, par contre, destabilisé l'encadrement... L'horaire variable a eu des résultats positifs dans la majorité des services. Il faut, néanmoins, admettre que, dans certains services, il serait utile de revenir à des horaires fixes, ou, tout au moins, de réduire le champ des plages variables (en particulier dans le service courrier et communication du siège social de ...) comme proposé à la page ... du présent rapport. »

## 4.5. MODULATION DES HORAIRES

La modulation des horaires est une pratique d'A.T.T. hebdomadaire dans un cadre annuel (2).

L'ordonnance du 16 janvier 1982 a permis une variation de la durée hebdomadaire du travail à condition que :

— la durée hebdomadaire n'excède pas, en moyenne, la durée légale ;
— les conditions de la modulation soient prévues par une convention ou un accord collectif étendu, ou par un accord collectif ou d'établissement.

Ainsi, dans une usine travaillant pour l'agro-alimentaire, un accord dérogatoire signé début 1984 stipule :

« Les parties signataires sont d'accord pour mettre en place, à partir du 1er janvier 1984, la formule de modulation des horaires suivante :
PRINCIPE : trois périodes :
— période d'activité moyenne ...        39 à 40 heures/travaillées ;
— période d'activité faible ......        32 à 36 heures/travaillées ;
— période d'activité forte ......        42 h 30 heures/travaillées.

Chacune de ces périodes est calculée de telle façon que l'horaire moyen hebdomadaire sur l'année soit de 39 heures. »

La loi du 28 février 1986 (J.O. du 1er mars 1986) sur la négo-

---

(2) Michau (J.-L.), L'horaire modulaire, Masson, 1981.

ciation collective de l'A.T.T. fixe l'obligation de la signature d'un accord de branche comme préalable à tout accord d'entreprise ou d'établissement.

La modulation de la durée hebdomadaire peut se faire autour d'une moyenne annuelle hebdomadaire de 38 heures et dans la limite de 41 heures maximum par semaine (hypothèse I) et de 37 1/2 heures dans une limite de 44 heures (hypothèse II).

Dans l'hypothèse I, le paiement d'un supplément de 25 % pour les heures supplémentaires intervient au-delà de la 41e heure et l'octroi d'un repos compensateur de 12 minutes par heure à partir de la 42e heure.

Dans la seconde hypothèse les suppléments de salaire de 25 % et de repos compensateur de 12 minutes interviennent au-delà de la 44e heure.

Au-delà de la 47e heure, et dans la limite d'un contingent annuel de 80 heures (130 heures sans accord de modulation), le repos compensateur est porté à 30 minutes et la majoration de salaire à 50 % par heure supplémentaire.

Pour répondre à des variations de charges prévisibles, donc planifiables, la modulation des horaires permet d'organiser (sans empiéter sur les contingents d'heures supplémentaires) des semaines de durées variables.

La modulation des horaires, outil de flexibilité annuelle, permet d'accroître le noyau de travailleurs permanents par la réduction des C.D.D. saisonniers. Il limite le chômage saisonnier et les heures supplémentaires.

Depuis 1982 de nombreux accords ont été signés.

L'article 7 de la loi du 28.2.86 stipule que ces accords restent valables.

Il est apparu nécessaire de réaliser des audits d'efficacité avant de les renouveler et de les modifier.


### 4.5.1. LES MISSIONS

La modulation des horaires est destinée à modifier le volume des heures travaillées en fonction des besoins de l'activité. Les accords prévoyant une modulation sont généralement des accords dits « de contrepartie » ou « donnant donnant » (3) avec un équilibre de concessions réciproques.

Les missions confiées à l'auditeur portent sur plusieurs points :
— l'équilibre des concessions est-il avantageux pour l'entreprise ?
— les prévisions effectuées pour définir l'adéquation entre heures disponibles et besoins de l'activité sont-elles vérifiées ?

---

(3) Soubie (R.), *Observations pour les accords* « donnant donnant », in Liaisons Sociales, n° 67/85 du 13 juin 1985.

— la solution retenue est-elle la meilleure, n'aurait-il pas été préférable de recourir à la récupération, le choix entre modulation et récupération a-t-il été correctement effectué ?

— les comportements des salariés (absentéisme, prise de congés annuels) réduisent-ils les effets bénéfiques des modalités retenues ?

Il est, généralement, demandé à l'auditeur de porter un jugement sur le système retenu et de proposer des aménagements améliorant son efficacité.

### 4.5.2. LE DÉROULEMENT

Trois exemples illustrent le déroulement d'une mission d'audit de la modulation :

#### a) *Audit de faisabilité*

L'auditeur est invité à apprécier l'intérêt du recours à la formule de l'accord de modulation. Il répond aux interrogations suivantes :
— la formule solidarité R.T.T. est-elle applicable à la société, à l'établissement X, ou à l'atelier Y... ?
— quelles sont les contraintes légales, sont-elles acceptables ?
— quels sont les avantages financiers, sont-ils réels, suffisants ?
— le dispositif R.T.T. est-il insérable dans le plan social, à court terme, à long terme ?
— le dispositif de R.T.T. doit-il être accompagné d'autres pratiques, lesquelles ?
— des négociations doivent-elles être entamées, à quel niveau, avec qui, quand ?
— connaît-on les oppositions éventuelles, l'accord étant dérogatoire comment contourner une opposition réelle ?
— quelles sont les contreparties de la négociation, leur limite, leur coût, le calendrier ?

#### b) *L'audit d'opportunité*

Deux techniques sont en concurrence pour adapter la durée du travail à l'activité. L'auditeur examine le choix entre modulation et récupération.

Les deux techniques offraient à la fois des avantages et des inconvénients : la récupération pouvait répondre à une réduction importante de la durée du travail mais elle ne permettait en principe qu'un rattrapage d'une heure par jour et de huit heures par semaine au maximum ; un accord de modulation peut, lui, offrir plus de souplesse pour augmenter l'horaire journalier ; la récupération, en revanche, ne nécessitait pas d'accord, elle restait une simple faculté pour l'employeur, elle lui évitait surtout de payer des heures au taux majoré, tandis que la modulation permettait simplement de ne pas entamer le contingent d'heures supplémentaires libre.

L'employeur était libre de choisir entre les deux formules quand il n'existait pas d'accord de modulation.

Il l'est moins quand il est lié par un accord de modulation. Car, ou bien cet accord exclut expressément le recours à la récupération et la question est réglée : l'employeur n'a pas de choix ; ou bien — c'est le cas le plus fréquent — l'accord de modulation existe, mais ne dit rien sur le problème et la question se pose. Là encore, la réponse doit être négative : l'employeur n'a pas davantage de choix.

La loi du 28.02.86 a modifié largement les possibilités de recours à ces deux formules.

La récupération apporte plus de souplesse et coûte moins cher. Cependant la formule de la modulation peut être préférée pour des raisons internes (amélioration du climat social, meilleure acceptation des contraintes...). L'auditeur, après avoir examiné toutes les dimensions du problème, apprécie la solution la meilleure.

### c) Audit d'un accord

A titre d'exemple, l'accord « bateaux Jeanneau » du 9 juillet 1985 illustre les possibilités de la modulation. En voici quelques dispositions :

---

*Article I. HORAIRE HEBDOMADAIRE.*
*A compter du 1er septembre 1985, l'horaire hebdomadaire de travail est ramené de 39 heures à 38 heures pour l'ensemble du personnel de la société.*
*Article II. EFFET DE CETTE RÉDUCTION DU TEMPS DE TRAVAIL SUR LES RÉMUNÉRATIONS.*
*Cette réduction d'une heure de la durée hebdomadaire de travail sera compensée intégralement, et n'entraînera aucune réduction de salaire.*
*Cette compensation comprend à hauteur de 26 % les effets de l'application de l'article L.212-8 du Code du travail.*
*ACCORD PORTANT SUR LA FLEXIBILITÉ DES HORAIRES DE TRAVAIL*
*Partant du principe qu'il est impératif d'ajuster le rythme de la production au rythme des ventes,*
*il est convenu ce qui suit :*
*Article 1. CHAMP D'APPLICATION.*
*Le présent accord a pour but de définir les principes de la flexibilité dans les horaires hebdomadaires de travail au sein*

---

de la S.A. Jeanneau, ainsi que certaines conditions d'application.

Article 2. DATE D'EFFET ET DURÉE DE L'ACCORD.

Le présent accord prend effet à compter du 1er septembre 1985 et ce, pour une durée indéterminée.

Il pourra, en accord entre les parties, être modifié, amendé ou annulé.

Article 3. MODULATION DES HORAIRES DE TRAVAIL HEBDOMADAIRES.

Sur la base d'une durée hebdomadaire moyenne de 38 heures, les horaires hebdomadaires de travail varieront d'une amplitude de 3 heures et demie par rapport à l'horaire normal de 38 heures et ce, dans les conditions suivantes :

— Période de faible activité, horaire hebdomadaire : 34 h 1/2
Mois concernés : septembre, octobre, novembre, décembre et janvier.

— Période de forte activité, horaire hebdomadaire : 41 h 1/2
Mois concernés : février, mars, avril, mai et juin.

— Période d'activité normale, horaire hebdomadaire : 38 heures
Mois concernés : juillet et août.

Article 4. RÉMUNÉRATION DES HEURES EFFECTUÉES EN PÉRIODE DE HAUTE ACTIVITÉ AU-DELÀ DE 39 H PAR SEMAINE

Pour chaque salarié concerné, le nombre d'heures à payer en plus du salaire mensuel normal, du fait de l'application de l'article L.212-8 du Code du travail, serait :

5 mois × 4,33 semaines × 2,5 heures × 25 % à 13,53 heures.

Compte tenu de la réduction du temps de travail de 39 h à 38 h, il est décidé que la compensation de la 39e heure sera faite intégralement de la façon suivante :

Sur les 52 heures par an à compenser :

— 13,53 heures, soit 26 % seront prises au titre et en compensation des effets de l'article L.212-8 du Code de travail.

— 38,47 heures, soit 74 % seront faites au titre de la compensation de l'entreprise.

L'auditeur vérifie les points suivants :

— les périodes de faible, normale et forte activité ont-elles été convenablement appréciées ? Présentent-elles une régularité suffisante ?

— l'accroissement des horaires de février à juin n'a-t-il pas de conséquences sur l'absentéisme, les risques d'accident, la qualité du travail, les risques de conflits ?

– la réduction de la durée moyenne avec compensation partielle est-elle compatible avec les exigences de la compétitivité internationale ?
– la réduction du coût du stockage et du risque commercial finance-t-elle la montée du coût horaire ?

Ces questions impliquent des investigations dans les statistiques du personnel et la prise en compte de données comptables et financières d'une part, du concept de climat social d'autre part. Le rapport reflète l'étendue des investigations.

### 4.5.3. LE RAPPORT

L'audit d'un accord de modulation peut se traduire par un rapport comportant les huit points suivants :

I. *Présentation de l'entreprise*
– situation actuelle et évolution générale ;
– secteur d'activité ;
– effectif global et répartition ;
– environnement économique et social ;
– organisation du temps de travail antérieure au projet ;
– présence syndicale.

II. *Présentation de la mission*
– objectifs ;
– méthodes, moyens et limites ;
– déroulement de la mission.

III. *Mise en place du dispositif d'A.T.T.*
– objectifs poursuivis ;
– contreparties ;
– positions des organisations syndicales ;
– niveau et acteurs de la négociation.

IV. *Démarche adoptée pour l'introduction du dispositif*
– identification des problèmes, recueil des données ;
– différents stades d'évolution du projet, repères chronologiques et acteurs impliqués ;
– actions d'accompagnement ;
– difficultés rencontrées, d'ordre technique, organisationnel et relationnel, culturel.

V. *Points clés du dispositif d'A.T.T.*

VI. *Effets de l'A.T.T. sur*
– l'organisation et le contenu du travail ;
– la productivité et l'emploi ;

— la dimension sociale ;
— indicateurs retenus pour l'appréciation qualitative et quantitative des avantages et inconvénients.

### VII. *Évaluation*

Le jugement, ci-dessous, porté sur l'A.T.T. est un exemple d'opinion critique.

> « *Le caractère saisonnier de l'activité justifie l'intérêt porté par l'entreprise aux possibilités de modulation. Cependant, l'accord du 20 janvier 1983 ne me paraît pas satisfaisant :*
>
> — *la R.D.T., de 39 h à 37 h 30 accordée avec compensation financière intégrale alourdit le coût horaire de 4 %, or ce coût apparaît déjà élevé au regard de la concurrence nationale et internationale ;*
> — *la réduction de la durée hebdomadaire moyenne de travail entraîne un sur-coût du fait de la majoration liée aux heures supplémentaires. Sur l'année ce sur-coût représente par salarié 25 % de 150 heures ;*
> — *les possibilités de chômage et de récupération n'ont pas été préalablement étudiées. Or, les possibilités de la récupération permettraient d'obtenir une même adéquation pour un coût horaire inférieur. La durée annuelle moyenne est de 1 687,5 heures payées 1 792,5 heures, soit une augmentation de 6,2 %. Chômage et récupération permettraient de maintenir la durée annuelle à 1 755 heures payées 1 755 heures.*
> — *les économies réalisées en matière de stockage et de frais financiers sont délicates à chiffrer. Cependant, leur montant réel semble faible.* »

Dans de nombreux cas l'opinion est plus favorable. Par exemple :

> « *L'adoption de l'horaire modulé apparaît positive :*
> — *la productivité par heure de travail effectif a crû de 10 %. Ceci provient, principalement, de la réduction des heures disponibles pendant les périodes de basses activités. En effet, la société n'envisage aucune mesure de chômage technique pendant ces périodes ;*
> — *les modalités de prise de congé incluses dans l'accord ont favorisé les départs en période creuse ; ceci a accentué la réduction des heures disponibles dans ces périodes ;*

> — la réduction des frais financiers représente 2 % du chiffre d'affaires et 4 % de la masse salariale ;
> — l'accord de modulation ramenant de 39 à 33 les horaires en période creuse a permis de sauvegarder de nombreux emplois permanents (15 % de l'effectif de production) en faisant disparaître les emplois saisonniers. »

Ces exemples illustrent la diversité des éléments que l'auditeur doit prendre en compte.

### VIII. *Préconisations*

Celles-ci peuvent être diverses :
— proposer le non-renouvellement d'un accord peu efficace ;
— proposer de nouvelles modalités d'équilibre, de concessions ;
— proposer des mesures d'accompagnement (modalités de prise de congés annuels par exemple).

# CHAPITRE V

# L'AUDIT STRATÉGIQUE

L'importance des enjeux des temps de travail a été soulignée dans le premier chapitre. L'A.T.T. est un terrain privilégié pour les innovations conciliant progrès économique et progrès social. Le cadre légal et réglementaire permet, aujourd'hui, l'adoption, généralement négociée, de formules adaptées. Les salariés expriment un désir croissant de pouvoir maîtriser l'organisation de leurs temps de travail et témoignent de leur capacité de prendre en compte les exigences de la compétitivité.

Il apparaît, aujourd'hui, indispensable que les entreprises et organisations définissent et mettent en œuvre une politique d'A.T.T. dynamique, adaptée, volontariste. Cette politique doit être formalisée, diffusée. Elle doit être cohérente dans ses différents volets et avec les autres politiques de personnel. Elle doit s'intégrer dans la stratégie sociale de l'entreprise. Elle doit prendre en compte les aspirations des salariés et anticiper leur évolution. Sa réussite repose sur la qualité des négociations menées sur le terrain avec les partenaires sociaux.

*« Il s'agit d'abord de considérer le temps de travail comme une variable stratégique de l'entreprise, au même titre que le volume d'investissement, ou le budget de recherche, c'est-à-dire une variable sur laquelle on peut agir dans des sens multiples en fonction d'objectifs économiques et sociaux, en quelque sorte ''un investissement'' et non un élément contraint qu'on gère ''à reculons'', pour éviter les vagues* (1). »

Les aides publiques étant dorénavant (circulaire du ministère du Travail, J.O. du 26.09.85) assujetties à l'engagement depuis moins d'un an à une négociation sur l'A.T.T., la politique d'A.T.T. devient, ainsi, une composante obligatoire de la stratégie globale.

L'audit stratégique porte sur ces divers points. Il permet d'éva-

---

(1) Remy (P.-L.), in préface de « *Investir dans le temps de travail* », A.N.A.C.T., juin 1985.

luer les forces et faiblesses de la prise en compte du facteur
« A.T.T. » dans la stratégie de l'entreprise et, par des recommandations adaptées, d'améliorer son efficacité.

Les missions confiées à l'auditeur concernent :
— l'identification de la politique d'A.T.T. (§ 5.1.) ;
— la prise en compte des aspirations des salariés (§ 5.2.) ;
— la logique et la cohérence stratégique (§ 5.3.) ;
— l'A.T.T. moyen et obligatoire de l'expansion (§ 5.4.).

## 5.1. IDENTIFICATION DE LA POLITIQUE D'A.T.T.

Afin de réaliser tant les audits d'efficacité que les audits stratégiques, l'auditeur doit connaître les objectifs de l'entreprise et ses
grands choix en matière d'A.T.T. Identifier les grands choix de la
politique d'A.T.T. constitue un préalable. Dans certains cas, cette
tâche est aisée. L'entreprise disposant des documents adéquats.
Dans d'autres cas, l'auditeur doit rassembler des informations
éparses.

### 5.1.1. LES PRINCIPAUX TRAVAUX

L'entreprise dispose, parfois, d'un document regroupant
l'ensemble des orientations, des choix, des axes en matière
d'A.T.T. Il peut s'agir d'un document spécifique ou d'un volet des
axes de la politique humaine et sociale de l'entreprise. Dans ce
second cas la présentation de la politique d'A.T.T. est, généralement, succincte et des recherches complémentaires sont
nécessaires.

Lorsque l'entreprise a élaboré un document spécifique, l'ensemble des composantes d'A.T.T. est, généralement, abordé. Un tel
document constitue un cadre pour les négociations portant sur
l'A.T.T. et pour les innovations. Ainsi, une entreprise industrielle
pratiquant une gestion sociale décentralisée dans ses filiales et établissements a élaboré, en 1982, un document intitulé : « *Principes
d'action pour l'aménagement des temps de travail et la croissance
de la productivité.* » Présenté et discuté avec les responsables de
filiales et d'établissements début 1983, clarifié et enrichi, le document a été diffusé à l'ensemble de l'encadrement et aux partenaires sociaux. Les négociations décentralisées menées au sein des
filiales et des établissements se sont appuyées sur ce document.
Un audit, réalisé sur les négociations de la période septembre
1983/mai 1985, a fait ressortir une très forte cohérence entre les

accords signés ou les décisions unilatérales prises et les orientations du document. De même, l'analyse des innovations de la période montre une volonté de traduire les objectifs politiques dans la pratique. Un bilan de la période 1983/1985, et la prise en compte des évolutions commerciales et technologiques de la branche, a conduit la direction générale à élaborer une seconde version pour « *Principes de 1986* ».

Dans la plupart des cas, l'auditeur doit rassembler des éléments puisés à différentes sources. Il procède à l'analyse de divers documents et à des entretiens.

### a) *Analyse de documents*

Les principales sources d'information sur la politique de l'entreprise, en matière d'A.T.T., sont :

- le rapport social, s'il existe, ou la présentation du rapport annuel du conseil d'administration ;
- la brochure d'accueil ;
- la presse d'entreprise ;
- les procès-verbaux et comptes rendus de certaines réunions, en particulier avec le C.E.

### b) *Entretiens*

Au-delà de l'analyse des documents précédents, des entretiens avec la direction générale et la direction du personnel complètent l'approche. L'auditeur rassemble, ainsi, l'ensemble des éléments relatifs à la formalisation de la politique et à sa diffusion.

### 5.1.2. LA POLITIQUE D'A.T.T.

L'auditeur, à l'issue des travaux précédents, doit répondre, aux questions suivantes :

Tableau 18

| Domaines | Existe-t-il des objectifs formalisés ? | Sont-ils présentés dans un document écrit ? (précisez) | Quelle est la diffusion ? | Autres formalisations ? (précisez) |
|---|---|---|---|---|
| **Axes généraux de la politique d'A.T.T.** . . . . . . . . . . . . . . . | | | | |
| **Durée du T.T.** | | | | |
| — entrée dans la vie active . . . . . | | | | |
| — départ à la retraite . . . . . . . . . | | | | |
| — interruption d'activité . . . . . . | | | | |
| — interruptions au cours de la durée normale du travail . . . . . . . | | | | |
| **Les rythmes du travail** | | | | |
| — rythmes annuels . . . . . . . . . . | | | | |
| — rythmes hebdomadaires . . . . | | | | |
| — rythmes quotidiens . . . . . . . . | | | | |
| — rythmes saisonniers . . . . . . . | | | | |
| — travail à temps partiel . . . . . . | | | | |
| — horaires particuliers . . . . . . . . | | | | |
| **La productivité** | | | | |
| — D.U.E. (durée d'utilisation des équipements) . . . . . . . . . . . . . | | | | |
| — absentéisme . . . . . . . . . . . . . | | | | |
| — flexibilité . . . . . . . . . . . . . . . | | | | |

## 5.1.3. L'ÉLABORATION DE LA POLITIQUE

L'auditeur apporte une attention particulière au processus d'élaboration de la politique d'A.T.T. et à son actualisation. Il recherche :

Qui a pris l'initiative de la réflexion, pour quelles raisons (pressions internes, pressions externes, phénomène de mode...) ?

Quand et comment la direction générale a été saisie ?

Qui a eu la responsabilité des travaux préparatoires, avec quels moyens ?

Qui a été associé à la réflexion stratégique, comment ?

Quelles ont été les étapes de la formulation des choix ?

Qui a rédigé les documents portant sur la politique adoptée, qui les a présentés, qui a décidé de les diffuser ?

L'auditeur examine, en particulier, la prise en compte des aspirations des salariés dans la définition de la politique d'A.T.T.

## 5.2. LA PRISE EN COMPTE DES ASPIRATIONS

L'importance des attentes des salariés en matière d'A.T.T. a été soulignée plus haut (§ 14). Les politiques d'A.T.T. ont des répercussions, très fortes, sur la vie du salarié et sur les comportements qu'il adopte vis-à-vis de son travail et de l'entreprise. Il n'est pas possible d'agir, dans ce domaine, sans connaître et prendre en compte les aspirations du personnel.

L'audit de la stratégie d'A.T.T. comporte un examen des informations sur les aspirations utilisées lors de sa définition, une analyse des modalités d'intégration de ces informations et de la prise en compte des attentes, une évaluation des procédures de suivi des réactions enregistrées lors de la mise en œuvre des politiques.

### 5.2.1. LA CONNAISSANCE DES ATTENTES

La méconnaissance des attentes des salariés, en matière d'A.T.T., peut être une cause d'échec des politiques. L'auditeur vérifie si les informations disponibles lors de l'élaboration des politiques d'A.T.T. étaient suffisantes pour asseoir de bons choix.

Cette connaissance des attentes peut être obtenue de différentes manières :
— les groupes d'expression sur les conditions de travail, les E.R.A.C.T., Pegase et cercles divers mis en place ;
— les partenaires sociaux à travers les réunions avec les délégués du personnel, les comités, le C.H.S.C.T., les délégués syndicaux ;
— la hiérarchie à travers, en particulier, les groupes de concertation ;
— les enquêtes d'opinion internes.

L'importance des enquêtes d'opinion, pour l'audit des attitudes et la connaissance des attentes, explique leur utilisation par un nombre croissant d'entreprises. De nombreux chefs d'entreprise pratiquent des enquêtes périodiques, reconnaissant leur rôle irremplaçable pour arrêter les grands choix stratégiques. L'auditeur attache une grande importance à la qualité de ces enquêtes. Un chapitre de « L'Audit Social », de J.-M. Peretti et J.-L. Vachette, est consacré à ces enquêtes d'opinion. L'auditeur vérifie la qualité des questions posées à partir des critères usuels (2), le déroulement de l'enquête, l'analyse des résultats, en particulier la prise en compte

---

(2) Peretti (J.-M.) & Vachette (J.-L.), op. cit., page 118.

de la diversité des attentes selon les principales caractéristiques socio-professionnelles.

L'auditeur, lorsqu'il n'y a pas d'enquête interne, examine l'utilisation faite des données recueillies lors d'enquêtes plus générales. En effet, les enquêtes sur l'A.T.T. sont, aujourd'hui, nombreuses et leurs résultats, très détaillés, permettent une utilisation au sein de l'entreprise.

### 5.2.2. LA PRISE EN COMPTE

L'auditeur vérifie que, dans le processus de planification stratégique, les informations relatives aux attentes des salariés, en matière d'A.T.T., soient prises en compte.

Cette vérification se situe à deux niveaux :
— l'élaboration de la stratégie sociale ;
— la planification stratégique générale.

L'auditeur examine la cohérence des objectifs et des stratégies, des plans à 5 ans et des budgets, avec les conclusions tirées de l'audit des attitudes. Il vérifie, en particulier, que les différentes instances, impliquées dans le processus stratégique, aient disposé des informations disponibles sur les attentes.

### 5.2.3. LE SUIVI

Ces dernières années ont montré la rapidité avec laquelle certaines aspirations se modifiaient. L'acceptabilité de certaines formules s'est modifiée, parfois brutalement. Ainsi, les équipes de fin de semaine ou la modulation d'horaires ont connu un succès que les enquêtes des années antérieures n'annonçaient pas. Il est donc nécessaire de suivre régulièrement les évolutions.

L'auditeur vérifie que les axes retenus pour la stratégie d'A.T.T. ne doivent pas être révisés du fait des pressions de l'opinion interne.

Il s'assure que les outils de suivi (enquêtes périodiques, réunions d'expression directe, entretien annuel, concertation avec les partenaires sociaux) permettent de percevoir les changements d'attitudes, les nouvelles aspirations, les possibilités d'aménagements nouveaux.

# 5.3. LOGIQUE ET COHÉRENCE STRATÉGIQUES

La gestion sociale répond à une logique stratégique construite selon trois voies :
— planifiée ou déterministe ;
— de réponse ou aléatoire ;
— mixte ou de vigilance.

Dans le cadre de l'audit de la stratégie d'A.T.T., l'une des premières tâches de l'auditeur est de se faire dire ou de rechercher quel type de logique stratégique a été adopté par l'organisation, ou est généralement suivi par ses dirigeants.

Il examine, ensuite, la cohérence de la stratégie d'A.T.T. à trois niveaux :
— cohérence entre les différents volets ;
— cohérence avec les autres politiques de personnel ;
— cohérence avec la politique générale.

## 5.3.1. LE CHOIX D'UNE STRATÉGIE

L'auditeur, à travers l'analyse des documents disponibles, ses entretiens avec la direction générale et la direction du personnel, identifie la logique stratégique parmi les trois voies mentionnées.

### a) *Stratégie déterministe*

La logique qui utilise cette stratégie est conservatrice, voire fixiste, et, généralement, cadrée par un plan.

L'auditeur vérifie, en particulier, la prise en compte des variations imprévues, les pratiques d'ajustements stratégiques.

### b) *Stratégie de l'aléa*

Stratégie de réponse, coup par coup, aux contraintes (externes et internes) aléatoires nées d'une logique de gestion simple, directe et rapide.

L'auditeur vérifie l'existence ou non de procédures d'alerte (ruptures de stocks, baisse du chiffre d'affaires, perte d'un marché, conflit externe...).

Il examine la qualité de la gestion, à court terme, des temps à chaque niveau (individu, service, département, établissement, entreprise). Il évalue la contribution de la politique d'A.T.T. à la flexibilité.

Il recherche la réponse aux questions relatives aux A.T.T. dictées par les circonstances :
— en cas d'événements imprévus (grèves, cataclysmes, intempé-

ries,...) a-t-on, ou peut-on organiser les mesures d'A.T.T., soit pour obtenir plus d'heures travaillées, soit, au contraire, pour réduire le volume des heures ;
— pour mettre en place des A.T.T. de secours quelles sont les mesures à prendre, avec les représentants du personnel, avec les chefs d'ateliers, les entreprises de prestation de services, les firmes de travail temporaire, les services publics, etc.

### c) *Stratégie de la vigilance* (3)

L'économie de la vigilance est fondée sur quatre principes :
— nécessité de pérennité ;
— impossibilité d'immobilité ;
— irréversibilité de la plupart des décisions économiques ;
— non-substitualité des différents paramètres des décisions initiales.

La vigilance entraîne deux tactiques :
— la première consiste à persister dans les choix initiaux d'A.T.T. et, pour répondre aux contraintes, de les adapter sans les abandonner ;
— la deuxième, au contraire, entraîne l'adoption de nouveaux types d'A.T.T. basés sur d'autres critères de choix.

Par exemple, la première tactique peut être de passer de 3 à 5 équipes, la deuxième de supprimer, purement et simplement, le travail de nuit et de créer des équipes de fin de semaine.

### 5.3.2. LA COHÉRENCE STRATÉGIQUE

L'auditeur vérifie la cohérence des choix stratégiques à trois niveaux :

### a) *Cohérence des composants de la politique d'A.T.T.*

La politique d'A.T.T. recouvre un champ large et les objectifs retenus peuvent n'être que difficilement compatibles entre eux.

Ainsi, l'objectif d'une ouverture plus large au public peut être délicate à poursuivre conjointement avec une politique de liberté accrue dans l'organisation de son temps de travail par le salarié.

L'objectif d'un étalement des congés, pour éviter une fermeture, peut susciter des difficultés et aller à l'encontre du souhait de prendre en compte les demandes des salariés. De même, la volonté d'accroître la durée d'utilisation des équipements (D.U.E.) peut être en contradiction avec celle de tenir compte des choix individuels.

L'auditeur examine les conséquences de la prise en compte de

---

(3) Oury (J.-M.), *Économie politique de la vigilance*, Calmann-Lévy, 1983.

chacun des objectifs sur la réalisation des autres. Le croisement des objectifs fait ressortir les difficultés potentielles, les incompatibilités partielles ou totales.

b) *Cohérence avec les politiques de personnel*

L'auditeur contrôle, également, la compatibilité avec les principaux objectifs des politiques de personnel :
— cohérence politique de l'emploi — politique d'A.T.T.
les objectifs de la gestion à court terme de l'emploi sont-ils compatibles avec les orientations retenues par l'organisation du temps de travail ?
les objectifs de la gestion à moyen terme de l'emploi sont-ils compatibles avec ceux retenus en matière de durée du travail ?
les objectifs de la gestion à long terme de l'emploi sont-ils compatibles avec les aménagements de la vie active retenus ?
— la cohérence sécurité — A.T.T.
les risques inhérents à certains aménagements (semaine comprimée, durée maximale...) ont-ils été pris en compte dans la politique de sécurité ?
les conséquences de certains aménagements sur la sécurité sont-elles étudiées, des solutions sont-elles programmées, la fonction sécurité est-elle dimensionnée pour y répondre ?
les formations à la sécurité sont-elles en harmonie avec les aménagements programmés ?
— la cohérence formation — A.T.T.
les besoins de formation induits par certain A.T.T. (polyvalence, enrichissement des tâches...) sont-ils intégrés dans la politique de formation ?
la formation de l'encadrement à une politique active d'A.T.T. est-elle prévue ?
les conséquences des A.T.T. sur les modalités des réalisations des actions de formation sont-elles prises en compte ?

La cohérence avec les politiques de rémunération, d'information et de communication, de relations avec les partenaires sociaux, d'amélioration des conditions de travail doit être également vérifiée.

A l'issue de sa mission, l'auditeur fait ressortir les éventuelles difficultés et les conflits d'objectifs. Il propose des mesures pour en réduire la portée.

c) *Cohérence politique A.T.T./politique générale*

L'auditeur vérifie la compatibilité de l'ensemble des objectifs de la politique d'A.T.T. avec les orientations de la politique générale.

Il étudie les conséquences, en terme d'A.T.T., des décisions stratégiques dans les domaines technique, commercial et financier.

L'auditeur est amené, ainsi, à vérifier si l'entreprise possède une culture stratégique cohérente, née de l'interaction d'une veille prospective permanente (surveillance de l'environnement, découverte des tendances, des signes avant-coureurs, etc.) (4) d'une volonté stratégique (affirmation d'une mobilisation continue) et d'un projet collectif et partagé par la totalité des acteurs sociaux (5).

Tableau 19

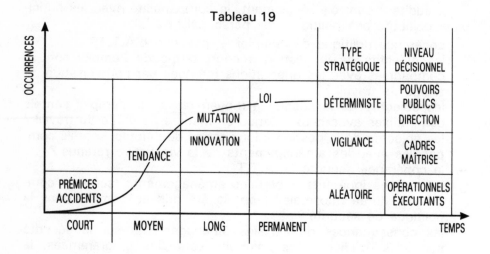

## 5.4. L'A.T.T. MOYEN OBLIGATOIRE DE L'EXPANSION

Le rapport de Monsieur Dominique Taddei, sur la R.T. et l'A.T.T. (6) remis au Premier ministre début septembre 1985, par l'impact de ses conclusions, a déjà été suivi de dispositions contraignantes pour l'entreprise désireuse d'expansion à partir d'aides publiques. En effet, (J.O. du 29.09.1985) les entreprises de plus de 50 salariés devront avoir engagé l'ouverture d'une négociation sur l'A.T.T. depuis moins d'un an si elles veulent obtenir des aides publiques. Ainsi, l'auditeur sera prochainement sollicité pour des audits stratégiques (selon les méthodes énoncées ci-dessus), outils indispensables à la prise de décision de la direction en matière d'investissements.

---

(4) Godet (M.), Veille prospective et flexibilité stratégique in *Futuribles*, septembre 1985.

(5) G.E.R.A.S., Groupe d'étude et recherche en analyse sociale. Modèles de logiques stratégiques, à paraître.

(6) Taddei (D.), Rapport pour une nouvelle organisation de la production : allongement de la D.U.E., A. et R.T.T. Ministère du Redéploiement industriel, septembre 1985.

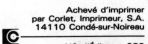

Achevé d'imprimer
par Corlet, Imprimeur, S.A.
14110 Condé-sur-Noireau

N° d'Éditeur : 683
N° d'Imprimeur : 7696
Dépôt légal : avril 1986
*Imprimé en France*